Chère Lectrice,

En ouvrant ce livre de la Série Harmonie, vous entrez dans le monde magique de l'aventure et de l'amour.
Vous connaîtrez des moments palpitants, vous vivrez avec l'héroïne des émotions inconnues.
Duo connaît bien l'amour. La Série Harmonie vous passionnera.

Harmonie : des romans pour faire durer votre plaisir,
quatre nouveautés par mois.

Londres, Pimlico Road

Série Harmonie

LINDA LAEL MILLER

La baie de l'ange

Titre original : *Snowflakes On The Sea* (59)

Originally published by SILHOUETTE BOOKS,
division of Harlequin Enterprises Ltd,
Toronto, Canada

Traduction française de : Marie-Odette Allain

27, rue Cassette, 75006 Paris

Chapitre 1

L'ombre d'un sourire effleura les lèvres de Nathan McKendrick. La neige ne cessait de tomber depuis ce matin et les habitants de Seattle, habitués à la pluie et à la grisaille, étaient complètement désorientés. Par la fenêtre de son living, Nathan contemplait les embouteillages de voitures, l'autobus roulant précautionneusement et surtout l'empressement des gens à rentrer chez eux. Visiblement, les bureaux avaient dû fermer plus tôt que de coutume; nul ne semblant désireux d'affronter les éléments!

Au loin, le port disparaissait dans l'épais nuage de flocons blancs; à peine apercevait-on les lueurs bleutées des immeubles, de l'autre côté de la place. Avec un soupir déprimé, Nathan abandonna ce spectacle et arpenta nerveusement l'immense pièce confortablement meublée, chaude et accueillante. En l'absence de Carole, son luxueux appartement, situé au dernier étage de l'immeuble, lui semblait trop vaste.

Carole... Où se trouvait-elle en ce moment? Il avait beau fouler l'épais tapis d'un pas rageur, cette question ne cessait de lui marteler les tempes. De plus, il était épuisé. Après une tournée de six semaines de concerts et l'interminable vol en provenance de Sydney, il n'avait pas encore récupéré. Le miroir lui renvoya l'image de sa haute silhouette vêtue du pantalon gris et du pull à col roulé qu'il portait en voyage.

Son appartement ne comportait pas moins de quatre salles de bains, mais Nathan n'avait même pas trouvé le temps de se doucher et de se changer. Il avait été beaucoup trop effrayé en apprenant l'hospitalisation de Carole. Son seul désir avait été de la rejoindre au plus vite. A peine descendu d'avion, il avait sauté dans un taxi et s'était rendu à l'hôpital pour s'entendre répondre que : « Mme O'Connor avait reçu les soins nécessaires, mais qu'elle n'était plus hospitalisée. »

Les infirmières s'étaient montrées peu bavardes et il lui avait été impossible de joindre le médecin traitant de Carole. Lorsque, en désespoir de cause, il avait téléphoné à sa sœur, Nathan n'avait eu pour tout interlocuteur qu'un répondeur automatique. Ce dernier avait fait les frais de sa mauvaise humeur et de son irritation !

En y réfléchissant bien, il était sûrement stupide de s'affoler de la sorte. Pat n'avait laissé aucun message alarmant sur son appareil enregistreur. Carole devait aller bien, maintenant. Nathan grimaça, jeta un dernier coup d'œil sur la rue et se dirigea vers la plus grande des salles de bains. Une douche tiède finit par le détendre, et après s'être rasé et changé Nathan se sentit un autre homme.

A cet instant, la sonnette de la porte d'entrée résonna et il bondit dans le hall, soulagé par l'arrivée de sa sœur.

Pat leva vers lui un regard scandalisé.

— Vraiment, Nat, tu ne devrais pas dire de telles choses au téléphone !

— J'avoue que mon langage était assez cru, reconnut-il en fronçant les sourcils, mais j'étais à bout, excuse-moi.

Pat soupira et préféra oublier le commentaire de son frère. Sa main rejeta en arrière une mèche de cheveux blonds et ses larges yeux bleus se posèrent sur Nathan.

— Remettons cette discussion à plus tard, veux-tu ? dit-elle en souriant.

Puis, sans attendre sa réponse, elle s'éclaircit la voix et enchaîna, taquine.

— Alors, Tarzan, un voyage fatigant ?

Nathan hocha machinalement la tête. Dans le living, une pendule ancienne égrenait ses secondes. Finalement, il explosa.

— Pat, je vais devenir fou si tu ne me racontes pas ce qui s'est passé ! Qu'est-il arrivé à Carole et où est-elle, grand Dieu ?

Sans se démonter, Pat se hissa sur la pointe des pieds pour l'embrasser. Il était rasé de frais et discrètement parfumé.

— Du calme, Nathan. Tout va bien. Carole ne court aucun danger. A sa sortie de l'hôpital, je l'ai emmenée sur l'île afin qu'elle s'y repose.

— Bon sang, vas-tu me dire pourquoi il a fallu l'hospitaliser ?

Et prenant sa sœur par le bras, il l'attira un peu rudement dans le salon. Pat se laissa tomber dans un large et douillet canapé, puis après avoir croisé paisiblement ses jambes, elle déclara d'un ton égal.

— Ecoute, Nathan, Carole s'est évanouie sur le plateau de tournage la nuit dernière. Ils ont appelé une ambulance, quelqu'un m'a téléphoné. Moi, je t'ai prévenu aussitôt après avoir vu ta femme et discuté avec son médecin.

Nathan tressaillit et alla s'adosser contre le bar en bois de teck que Carole avait rapporté d'Orient quelques années plus tôt. Croisant les bras sur sa poitrine, il lança un regard noir à sa sœur.

— Ça me dépasse ! Pourquoi a-t-on refusé de me dire quoi que ce soit à l'hôpital ?

— Le réalisateur a menacé les infirmières des pires représailles si elles livraient la moindre information. Allons, Nathan, ne dramatise pas, veux-tu ?

Pour toute réponse, Nathan s'empara de sa veste posée sur le dossier d'une chaise. Pat se leva à son tour et posa tendrement la main sur le bras de son frère.

— Nathan, encore un mot, ne harcèle pas Carole avec son feuilleton à l'eau de rose. Elle est vraiment à bout de nerfs et elle n'a pas besoin de cela.

— D'accord, grommela-t-il à contrecœur.

Pat se dressa sur la pointe des pieds pour effleurer les cheveux bruns et drus de son frère et, gentiment, ajouta.

— Cesse aussi de te tourmenter. Tout va bien.

Nathan se mit à rire, comme si vraiment le monde était d'une folle gaieté, puis sans ajouter un mot, il tourna les talons et sortit de la pièce.

Carole O'Connor adorait la maison de l'île. Pourtant, elle n'y venait plus souvent maintenant qu'elle travaillait à Seattle. Le mobilier rustique, la grande cuisine aménagée à l'ancienne avec ses vieux cuivres, l'odeur même qui se dégageait des murs la réconfortaient. Ici, Carole se sentait vraiment chez elle.

En sortant de l'hôpital, Carole s'était d'abord reposée. Mais maintenant, mue par la faim, elle s'activait dans la cuisine. Ma mère avait raison, se dit-elle. L'on éprouve du plaisir à faire les choses soi-même, comme autrefois. Ce bien-être, Carole ne le retrouvait guère dans le somptueux appartement qu'elle partageait avec Nathan. D'ailleurs, il était si souvent absent...

Pendant six ans, ils avaient été follement heureux. Tous deux avaient brillamment réussi leur carrière. A vingt-sept ans, Carole était soudainement devenue une vedette, tandis qu'à trente-quatre ans, Nathan ne comptait plus ses succès. Pourtant, quelque chose manquait à leur bonheur.

L'argent et la gloire ne compensaient pas l'absence d'enfants. Peut-être les enviait-on ? Mais, au fond de son cœur, Carole eût tout donné pour une vie plus familiale. A cet instant, Cinnamon gratta à la porte, pressée de revoir sa maîtresse qui lui manquait tant. Carole lui ouvrit et la superbe chienne, un setter irlandais, se précipita dans ses jambes et la gratifia d'un coup de langue. La prenant à témoin, Carole s'exclama.

— Qu'en penses-tu, ma fille ? Nous allons laisser Nathan courir le monde pour entasser ses millions et nous allons nous offrir un régime d'huîtres, de fruits de mer et de mûres !

Pour toute réponse, Cinnamon eut tôt fait de trouver dans le sac à provisions les morceaux de viande qui lui étaient destinés. Dans l'immédiat, Carole se contenterait de réchauffer une boîte de soupe. Il n'y avait pas grand-chose à manger dans la petite maison. Demain, il serait temps de faire des courses car, pour s'approvisionner dans l'épicerie située à l'autre bout de l'île, il lui fallait prendre la voiture. A cet instant, la sonnerie du téléphone retentit et la voix de Lucy Demming résonna au bout du fil.

— Alors, te voilà enfin revenue ! Bon sang ! J'ai bien cru avoir failli à mon devoir de gardienne quand j'ai découvert que ta chienne avait disparu.

— Elle est ici, avec moi, répondit Carole. J'ai

voulu t'appeler en arrivant, mais il n'y avait pas de tonalité.

— Rassure-toi, reprit Lucy d'une voix chaude. Quand Cinnamon disparaît, je sais où la chercher. Elle ne cesse de rôder autour de ta maison. Ceci dit, j'imagine que tu as eu la mauvaise idée d'apporter du travail ?

Carole réprima un bref soupir.

— Pas vraiment, je suis ici en vacances forcées. Brad ne me laissera pas revenir sur le tournage sans le feu vert de mon médecin.

Il y eut un court silence.

— Dis-moi, Carole, tu n'es pas malade... ? Enfin, je veux dire, est-ce sérieux... ?

— Je suis seulement fatiguée, assura-t-elle, heureuse que son amie ne puisse voir les cernes bleutés sous ses yeux et la pâleur de son visage.

La conversation reprit sur *Jours tendres et nuits sauvages,* premier feuilleton télévisé réalisé à Seattle. Brad Ranner en assurait la réalisation. Carole avait été choisie pour tenir le rôle de Tracy Ballard, une jeune femme dépensant toute son énergie à détruire son mariage.

En fait, Carole manquait de métier pour tenir ce rôle, peu important au départ. Mais elle avait montré tant de talent dès les premières images que le producteur avait étoffé son personnage. Sa renommée était faite. Carole avait repris son nom de jeune fille dans l'espoir que personne ne reconnaîtrait en elle l'épouse du célèbre chanteur de rock. Elle avait besoin de réussir par elle-même.

Après avoir promis à Lucy de passer la voir, Carole raccrocha, songeuse. Oui, désormais, elle était riche et célèbre... Des femmes l'arrêtaient dans la rue ou dans les magasins pour lui demander un autographe. Cependant, ce n'était pas la vie qu'elle aurait souhaitée. Comme il eût été merveilleux d'abandonner ces succès au profit d'un enfant à chérir. Elle vida d'un trait son bol de soupe et elle allait le poser dans l'évier, lorsque lui parvint un crissement de pneus sur la neige. Qui pouvait donc venir par une telle tempête ? Jetant sur ses épaules un châle rouge et bleu, Carole se dirigea vers le porche tandis que Cinnamon commençait à gambader en s'accrochant à son jean. Tout à coup, la chienne s'immobilisa et, avant que sa maîtresse n'ait eu le temps de la retenir par son collier, elle bondit au-dehors, en jappant.

— Salut, toi, grosse bête ! lança une voix rieuse.

Carole ressentit alors un étrange pincement au creux de l'estomac. Elle resta immobile sur le seuil, la bouche entrouverte... Nathan McKendrick délaissa Cinnamon pour s'avancer vers elle.

La neige crissait sous ses pas. Jamais Nathan ne lui avait paru aussi solide. Les flocons blanchissaient ses cheveux noirs. Le cœur de Carole se mit à battre violemment. Elle aurait dû se douter que Pat, sa loyale belle-sœur, n'avait pu faire autrement que de l'avertir. En silence, elle regarda son mari s'approcher d'elle.

Chapitre 2

— Bonsoir, madame O'Connor ! lança Nathan avec un sourire narquois.

Il accompagna ses paroles d'un salut désinvolte et il n'en fallut pas plus pour rompre la magie du moment.

— Bonsoir, monsieur McKendrick, répliqua Carole, sur le même ton.

L'un et l'autre jouaient l'indifférence, cependant Nathan était très ému quand il serra sa femme dans ses bras.

Mon Dieu, songea Carole, bourrelée de remords, je suis pire qu'une midinette. S'il me demandait tout de suite de faire l'amour dans la neige, je céderais !

Nathan était tout à fait conscient de l'emprise qu'il exerçait sur elle. Ses lèvres effleurèrent son visage en un baiser à la fois tendre et impatient. Carole s'abandonna au plaisir de le retrouver.

Soudain, après avoir caressé doucement la naissance de sa gorge, il tourna les talons en direction de la maison. Le visage brûlant, elle le suivit. Cinnamon gambadait autour d'eux. Nathan referma la porte puis enveloppa Carole d'un regard caressant et possessif.

— Tu m'as manqué, madame, dit-il d'une voix basse.

Pour toute réponse, elle devint cramoisie et secoua son opulente chevelure blonde. Ses yeux verts prirent la sombre couleur de l'océan. Elle s'en voulait de se laisser émouvoir comme une jeune fille. Nathan n'en fut pas dupe et se mit à rire.

— Quelle comédienne tu fais, ma petite chatte, murmura-t-il en s'approchant doucement pour la prendre dans ses bras. Ton corps te trahit. Tu ne me détestes pas autant que tu souhaiterais me le faire croire.

Bien sûr que non ! eut-elle envie de hurler. Son orgueil la retint et elle leva vers lui un menton frondeur. Mais, déjà, deux boutons de sa vieille chemise venaient de céder sous les doigts nerveux de Nathan. Un gémissement lui échappa lorsque sa main caressa la pointe délicate de son sein. Cette fois, un vertige l'envahit. Carole se sentit impuissante devant ces effleurements délicieux. Sa main s'enfonça dans les cheveux drus de son mari et dans un ultime effort, elle balbutia.

— Arrête, je t'en prie !

Mais elle ne souhaitait rien de tel...

Avec une lenteur voulue, il la dévêtit. Elle plaqua ses paumes sur les épaules de Nathan dont les lèvres chaudes couraient sur son corps. Cette attente lui parut tellement insupportable que lorsqu'il la porta sur la banquette de la cuisine, elle murmura :

— Vite... Nathan... tout de suite...

La volupté l'embrasait tandis que Nathan multipliait les caresses les plus intimes.

— Ma chérie...

A cet instant, il y eut le bruit assourdi d'une voiture, un crissement de freins. Une portière claqua. Puis une autre...

Nathan se redressa. Les joues en feu, Carole bondit sur ses pieds et se rua sur ses vêtements. Cinnamon daigna donner l'alerte en aboyant derrière la porte.

— Juste une minute, j'arrive ! cria Nathan, d'une voix rauque.

Il rajusta sa chemise tant bien que mal, certainement aussi embarrassé que l'auraient été leurs visiteurs surprenant cette scène inattendue dans la cuisine des McKendrick.

Une seconde plus tard, il faisait entrer Lucy et son époux. Carole se tenait le nez sur le fourneau pour cacher sa confusion, mais après un bref coup d'œil, Lucy s'exclama en rougissant :

— Alex, je crois que nous n'avons pas choisi le bon moment !

Celui-ci partageait son avis, car il parut hésiter sur le seuil de la pièce. Alex était le conseiller fiscal de Nathan et aussi son meilleur ami.

— Allons, entrez et asseyez-vous, tous les deux ! ordonna Nathan, sans la moindre trace d'humour !

Carole sentit le poids de son regard posé sur elle. Du coin de l'œil, elle vit que Lucy déposait un plat chaud sur le buffet. Lorsque, ayant enfin retrouvé ses esprits, Carole vint s'asseoir avec ses amis, elle sentit la tension qui régnait encore dans l'atmosphère.

Ils passèrent néanmoins une agréable soirée à discuter de la tournée de Nathan. Lucy avait préparé un gâteau dont elle avait le secret et Carole leur servit du café. Quand Lucy commença à insinuer qu'il était temps de prendre congé, l'impatience de Carole reprit sourdement. Finalement, après des adieux chaleureux, les Demming se décidèrent à affronter la tempête de neige pour rentrer chez eux.

Carole et Nathan échangeaient déjà un regard de soulagement, quand, quelques secondes plus tard, ils entendirent toussoter puis s'éteindre le bruit du moteur. De toute évidence, la voiture des Demming refusait de démarrer.

— Je reviens dans un instant, grommela Nathan, après avoir enfilé une pelisse.

Il sortit et Carole poussa un soupir. Elle avait envie de prendre un bain chaud et se sentait si lasse que le sommeil ne tarderait sûrement pas. Toutefois, Nathan et elle devraient d'abord assouvir cette soif d'amour qui les brûlait depuis trop longtemps. Ils étaient si souvent séparés...

Mais la porte s'ouvrit et de nouveau Lucy surgit.

— Nathan et Alex essayent de remettre le

moteur en marche, dit-elle un peu embarrassée, je te dérange encore.

— Aucune importance, mentit stoïquement Carole. Viens t'asseoir près du feu. Veux-tu encore un peu de café ?

Lucy secoua la tête et ses cheveux auburn dansèrent un instant devant son visage délicat.

— Nous n'aurions pas dû faire irruption chez vous, je suis vraiment désolée, Carole, j'ignorais que Nathan était là.

— Cesse de t'excuser, voyons, protesta chaleureusement son amie. Nous étions ravis de vous revoir.

Les yeux bleus de Lucy s'assombrirent.

— Tu me sembles vraiment fatiguée, Carole... Comment te sens-tu ?

Carole détourna les yeux. Son amie la connaissait si bien qu'elle hésita avant de protester faiblement.

— Oh... ça va.

Lucy n'insista pas et, désignant la salle de bains, elle ajouta seulement.

— Dans ce cas, prends une douche et mets-toi au lit. Ne t'occupe pas de moi ; j'attendrai bien tranquillement ici que les hommes aient fini de réparer la voiture... Nous discuterons plus longuement un autre jour.

Certes, Carole ressentait le besoin de se confier, mais ce n'était en effet ni l'heure ni l'endroit.

— Si vraiment cela ne t'ennuie pas... commença-t-elle.

Une lueur chaleureuse traversa le regard de son amie.

— Pas du tout, voyons ! Va vite. Je puis très bien m'entretenir quelques minutes avec moi-même !

Carole quitta la pièce en riant. Pendant que son bain coulait, la jeune femme se dirigea vers sa chambre pour explorer le contenu de sa valise. Elle n'y trouva que des jeans et des tricots soigneusement rangés par Pat. Sa belle-sœur n'avait pris que l'essentiel pour son séjour sur l'île et, bien entendu, il n'y avait pas la moindre lingerie seyante. Carole eut un soupir de regret en songeant aux ravissantes chemises de nuit oubliées dans l'appartement de Seattle. Cette nuit, elle aurait tant souhaité se montrer particulièrement séduisante pour Nathan. Hélas, elle devrait se contenter d'une virginale chemise de nuit en coton.

Lorsqu'elle se plongea enfin dans l'eau tiède et parfumée de son bain, le bien-être l'envahit et, ravie, elle entendit la voiture de ses amis s'éloigner. Un sourire de satisfaction flotta sur ses lèvres. Comme c'était bon d'être de retour chez soi !

La porte s'entrouvrit, et Nathan pénétra dans la pièce embuée. En découvrant sa femme nue dans la baignoire, il sursauta et son visage pâlit sous le hâle.

— Miséricorde, Carole ! gronda-t-il. Tu as terriblement maigri ! Combien de kilos as-tu perdus ?

— Heu... peut-être trois.

— Je dirais plutôt le double ! Tu étais déjà mince quand je suis parti, mais maintenant...

Sa phrase resta en suspens et la jeune femme baissa les paupières pour cacher ses larmes. Nathan insinuait-il qu'il ne la trouvait plus désirable ? Lorsqu'elle rouvrit les yeux, son mari était assis sur le rebord de la baignoire et la contemplait intensément.

— Carole, dis-moi ce que je peux faire pour changer les choses... pour te rendre réellement heureuse.

Traîtresse, une larme coula sur sa joue, et elle s'efforça de mentir.

— Rien, tout va bien.

Une lueur farouche étincela dans les yeux noirs de Nathan.

— Non, riposta-t-il. Tu as un problème, mais comment diable pourrais-je le deviner si tu n'as pas la franchise de me le dire ?

Carole secoua la tête.

— Nathan... tu veux divorcer ? balbutia-t-elle d'une voix mourante.

Nathan se redressa et garda un silence oppressant.

— Je pourrais... le comprendre, reprit-elle.

Puis, pour se donner une contenance, Carole s'empara de son éponge et se frotta le corps à s'en arracher la peau. Lorsqu'elle releva la tête, le visage de son mari était impassible.

— Carole, dit-il enfin d'une voix sourde, une fois pour toutes, mets-toi cela dans la tête : tu es ma femme et tu le resteras. Je n'ai pas l'intention de te laisser partir pour réchauffer le lit de quiconque... Et surtout pas celui de Brad Ranner !

Ces paroles lapidaires eurent le don de la suffoquer.

— Comment ?

— Tu as changé à partir du jour où tu as signé ce maudit feuilleton, Carole ! Je ne vois pas d'autre explication !

Une expression douloureuse passa sur le visage de Nathan, sans pour autant adoucir ses traits crispés. Carole leva la tête. Certes, elle avait ses raisons ! Mais Brad Ranner n'était vraiment pas concerné ! Ni lui, ni aucun autre ! Nathan restait le seul homme de sa vie.

— Je t'ai toujours été fidèle ! lança-t-elle.

Et lui ? Sans la crainte de s'entendre confirmer ses doutes, Carole lui eût volontiers retourné la question.

— Je sais, soupira-t-il. Je suis désolé...

Désolé de m'avoir accusée, ou désolé de ne pouvoir énumérer tes nombreuses conquêtes ? faillit-elle lui crier. Toutes ces gamines qui te tournent autour quand tu es loin de la maison...

— Je suis fatiguée, murmura-t-elle, découragée.

— Je le vois. Pourtant, tout à l'heure dans la cuisine, tu ne semblais guère l'être.

Le sarcasme qui perçait dans sa voix la fit rougir violemment. Evitant son regard, elle riposta sur le même ton.

— C'était il y a longtemps.

— A peine une heure.

— Laisse-moi seule !

— Avec plaisir.

Lentement, Nathan tourna les talons et referma la porte derrière lui. Lorsqu'il se fut éloigné, Carole laissa alors libre cours à ses pleurs.

Debout devant la fenêtre de leur chambre, Nathan scrutait l'obscurité. La tempête avait cessé. Carole dormait déjà et, quand il se pencha au-dessus de sa femme, elle lui parut plus vulnérable que jamais. Le désir l'envahit mais vraiment, le moment était mal choisi. De toute évidence, Carole était souffrante. Pourquoi donc l'avait-il soupçonnée d'avoir eu une liaison avec Brad Ranner ? Il regretta ses paroles et remonta doucement la couverture sur les épaules de la jeune femme.

Un long moment, il la contempla dans la lueur diffuse qui éclairait faiblement la pièce. Il était en train de perdre Carole... Que se passait-il entre eux ? Un soupir lui échappa. Sans elle, plus rien n'aurait d'importance.

Il se dévêtit et s'allongea à ses côtés. Amoureusement, sa paume effleura les contours délicats de sa poitrine. Elle se retourna.

— Nathan, souffla-t-elle.

Elle posa sa main sur son torse et, en dépit de l'angoisse qui le rongeait, Nathan s'efforça de sourire.

— Dors, ma chérie... repose-toi.

— Mais je n'en ai pas envie... Aime-moi, Nathan, chuchota-t-elle.

— Non...

— Si, insista-t-elle.

Le désir incendia Nathan, mais il en eut honte.

— Arrête, Carole... Je dois rester sage.

— Sage ?

Les lèvres de Carole s'appuyèrent sur sa peau nue. Cette fois, il ne pouvait plus résister et il la prit dans ses bras. Soudain, les remords l'assaillirent à nouveau. Il se souvint à temps de cet évanouissement sur le plateau de tournage... de sa vulnérabilité, de la douleur latente qui flottait dans ses yeux verts. Nathan fit un effort surhumain et s'écarta pour se recroqueviller dans un coin de leur vaste lit.

Chapitre 3

La sonnerie du téléphone éveilla Carole le lendemain matin. Avec un gémissement exaspéré, elle se pelotonna sous les couvertures, bien décidée à ne pas répondre. Si Nathan ne décrochait pas lui-même, l'importun n'aurait plus qu'à rappeler plus tard.

Mais inlassablement la sonnerie résonna. Carole ouvrit les yeux. Nathan ne se trouvait pas à ses côtés. Une exclamation de dépit lui échappa et, sautant à bas de son lit, elle chercha machinalement sa robe de chambre.

La maison était merveilleusement chaude et Carole sourit en se dirigeant vers la cuisine. Brusquement, les souvenirs de la veille lui revinrent en mémoire et une vive souffrance l'étreignit. Nathan l'avait repoussée, cette nuit...

— Allô ! dit-elle, en décrochant l'appareil.

— Bonjour, ici Diane Vincent, l'agent de presse de Nathan. Est-il là ?

Bonne question ! Carole jeta un coup d'œil autour d'elle et fronça les sourcils.

— C'est... Carole au bout du fil ? reprit Diane, d'un ton radouci.

— Il était là, répliqua Carole.

Le dédain perçait dans la voix de Diane lorsqu'elle continua, ironique :

— Une petite escapade d'une nuit, hein ? Ecoutez, si vous parvenez à le joindre, dites-lui de me rappeler. Je suis chez ma sœur à Seattle. Il connaît le numéro !

Les jambes en coton, Carole tira une chaise vers elle pour s'asseoir. Visiblement, Diane Vincent cherchait à semer le doute, mais Carole n'avait pas l'intention de le laisser voir.

— Je lui transmettrai votre message.

Ce ton paisible dut irriter son interlocutrice. Diane soupira. Comment un homme aussi dynamique que Nathan McKendrick pouvait-il s'embarrasser d'une épouse tellement lymphatique ? devait-elle songer.

— Très bien. N'oubliez pas, c'est important.

— J'en suis sûre, susurra Carole d'un ton perfide, avant de raccrocher.

Au-dehors, le silence du petit matin fut brusquement déchiré par les aboiements de Cinnamon. Carole s'approcha de la fenêtre et aperçut Nathan qui rentrait d'une longue promenade avec la chienne. Tous deux foulaient la neige tombée pendant la nuit. Le ciel était encore lourd. En contemplant la ligne sombre des sapins qui tranchaient sur la blancheur de la terre, Carole fut assaillie de souvenirs... Elle revit son père, enveloppé de sa grosse pelisse et brandissant le bras vers les arbres.

— Janet, un jour ou l'autre, il faudra que je

coupe ces fichus pins. Au cours d'une tempête, on finira par les recevoir sur la tête, à moins qu'ils ne démolissent la toiture...

Carole et sa mère s'étaient contentées d'échanger un sourire. Jamais Paul O'Connor n'aurait abattu ces arbres magnifiques. L'île était encore déserte qu'ils étaient déjà des géants. Voilà des siècles que ces pins méritaient le titre de vétérans.

A contrecœur, Carole abandonna ses souvenirs pour revenir à la réalité et à la douce chaleur de son lit. Il serait bien temps tout à l'heure de prévenir Nathan de ce coup de fil. Cela pouvait attendre. Une seconde plus tard, la jeune femme sombrait dans le sommeil.

Elle s'éveilla beaucoup plus tard ; le soleil était déjà haut dans le ciel, et le bruit familier du bacon en train de frire dans la poêle acheva de la ravigoter. Elle sauta à bas de son lit et se dirigea vers la cuisine.

Du seuil de la pièce, elle vit Nathan vêtu d'un pull-over et d'un jean, tenant le téléphone d'une main, tandis que de l'autre, il retournait les fines tranches de jambon fumé. Cinnamon essayait de profiter de l'occasion et, du bout du pied, Nathan tentait vainement d'écarter la gourmande. Finalement sa fourchette piqua un bout de lard qu'il laissa retomber sur le sol.

— Attention, ma belle, tu vas te brûler, grommela-t-il.

Puis, oubliant momentanément Cinnamon, il reprit son entretien téléphonique.

— Mais non, Diane, ce n'était pas pour vous ! Je m'adressais au chien.

Carole se raidit. D'un seul coup, le charme de cette matinée disparut. Elle eut l'impression de voir l'île brusquement envahie par une armée hostile. Carole retourna dans sa chambre, frissonnant malgré la douce température qui régnait dans la vieille maison. Après avoir enfilé un gros tricot de laine et un vieux pantalon marron, elle se décida à affronter le territoire ennemi.

Nathan était assis devant son petit déjeuner. Carole jeta un regard nostalgique sur les plats d'argent que sa mère prenait avec tant de grâce lorsqu'elle servait à table. Elle crut entendre sa voix ; l'écho de vieilles chansons qui avaient bercé son enfance résonna à ses oreilles. Jamais ses parents ne lui avaient autant manqué... En un éclair, elle revit leur mort tragique et brutale. Les images du naufrage défilèrent devant ses yeux. Elle sentit de nouveau l'eau glacée sur son corps. Carole avait été à deux doigts de mourir avec eux...

— Carole ?...

La voix basse de Nathan la fit sursauter. Janet et Paul O'Connor étaient partis à jamais et il ne servait à rien de raviver ces souvenirs atroces. Carole soupira et s'efforça de sourire misérablement.

— Le petit déjeuner sent bon... balbutia-t-elle.

Nathan ne fut pas dupe. Mais il savait se montrer compréhensif. Cela venait sans doute de son tempérament d'artiste, de cette sensibilité dont il faisait preuve quand il écrivait ou interprétait ses chansons. Observant attentivement sa femme, il reprit affectueusement :

— Certes. Mais il me semble qu'il y a quelques fantômes parmi nous ce matin.

Carole inclina silencieusement la tête en ravalant ses larmes. Ce tragique accident de bateau avait commencé à la hanter vraiment, juste après son mariage avec Nathan. Elle ne se pardonnait pas d'avoir été la seule rescapée alors que ses parents avaient péri.

Nathan vint se placer derrière elle et posa ses mains sur ses épaules, comme pour lui ôter le poids de son chagrin. Mais elle ne pouvait le partager et la jeune femme releva le menton.

— Que voulait Diane ? demanda-t-elle.

Avec un soupir, Nathan revint s'asseoir devant son assiette de bacon et, après avoir lancé un second morceau de lard à la chienne, il grommela.

— Rien d'important.

— C'est une beauté, non ? reprit Carole, en se servant copieusement d'œufs frits.

— Une chipie, plutôt, répliqua Nathan.

En son for intérieur, Carole éprouva un secret plaisir, mais elle se garda bien de le laisser voir. Aussi changea-t-elle de sujet.

— Mon contrat pour le feuilleton est presque terminé.

— Ah ? fit-il, en fixant avec un intérêt surprenant le paysage enneigé.

Carole mordit avec agacement dans son bacon. Ne pouvait-il afficher un peu plus d'enthousiasme ? Après tout, elle serait plus disponible maintenant ; peut-être pourraient-ils avoir un enfant ?

— Alors, qu'en penses-tu ? lança-t-elle.

— Pardon ? dit-il en évitant son regard.

— Non. Rien, soupira-t-elle.

A quoi bon discuter ? Nathan ne se rendait pas compte que sa carrière de comédienne avait eu pour seul but de se revaloriser à ses propres yeux.

Apercevant sur le buffet des sacs de provisions qui ne s'y trouvaient pas la veille, elle fit cette intéressante remarque :

— Tiens, tu as été faire les courses !

Cette fois, il se mit à rire et se leva pour déballer les jus de fruits et les boîtes de vitamines qu'il plaça devant elle.

— Ma chère, heureusement que tout le monde ne reste pas au lit jusqu'à midi ! En attendant, tu vas me faire le plaisir d'avaler cela !

— Mais... protesta-t-elle.

D'une part, elle n'avait plus faim et, de l'autre, elle n'avait aucune envie d'ingurgiter ces pilules. Péremptoire, Nathan avait déjà ouvert les flacons. Devant son regard autoritaire, Carole poussa un soupir et obtempéra. Lorsque le petit déjeuner fut terminé, elle se décida à poser la question qui la tourmentait depuis un moment.

— Nathan... Pourquoi m'as-tu repoussée la nuit dernière ?

Il lui jeta un coup d'œil incisif, ses mâchoires se crispèrent et, de nouveau, il se mit à observer les grands sapins verts qui se dressaient dans la neige.

— J'étais fatigué, dit-il enfin. Je suppose que c'est le voyage en avion et le décalage horaire.

Carole avala péniblement sa salive, incertaine de pouvoir aller jusqu'au bout de ses craintes.

— Es-tu en train de vivre... une aventure, Nathan ?

Il pivota sur ses talons pour lui faire face.

— Non ! jeta-t-il, offusqué. Au cas où tu l'ignorerais, je te trouve toujours aussi désirable, même si à mon avis, te voilà un peu maigre !

Carole écarta les mains en signe d'impuissance.

— Mais alors, qu'y a-t-il ?... Voici six semaines que nous ne nous sommes pas vus et...

Nathan l'attira violemment dans ses bras et la serra contre lui.

— Tu n'as pas besoin de me rappeler combien de temps nous avons été séparés, petite sotte ! gronda-t-il. Ne crois-tu pas que cette abstinence a été encore plus difficile pour moi ?

Ses lèvres effleurèrent ses tempes. Elle ne put retenir un gémissement.

— Alors, tout de suite, Nathan... tout de suite.

Sans desserrer son étreinte, il chuchota à son oreille.

— Non. Tu es fatiguée... tu as été souffrante... Je ne sais pas ce que ton docteur t'a prescrit, mais il t'a certainement conseillé de te ménager.

Le menton de Carole trembla un peu. Nathan était-il vraiment inquiet au sujet de sa santé ? Ou bien avait-il une liaison ? Il posa un baiser presque fraternel sur son front et ajouta, tendrement.

— Il y a un bon feu dans le salon. Pourquoi ne t'installes-tu pas sur le divan avec un livre ?

Le salon était chaud et confortable. Jadis son père s'y tenait souvent. Carole s'y installa et, par la fenêtre, regarda voleter les flocons blancs. La neige s'était remise à tomber.

Nathan s'approcha.

— Bon, je dois regagner mon travail, ma chérie, je reviendrai un peu plus tard.

Carole ne broncha pas. Quel genre de travail... ? songea-t-elle, amère. Elle préférait mourir que de le questionner. Si elle devait perdre son mari, autant le laisser partir avec élégance. Nathan se pencha et déposa sur son cou un tendre baiser qui la surprit profondément. Lorsqu'elle se retourna, il était déjà parti. Décidément, elle ne savait plus que penser ni que croire... Elle s'abandonna contre les coussins moelleux et laissa les larmes couler sur ses joues.

Plus tard, Carole alla à la salle de bains et, à l'eau froide, effaça toute trace de ses pleurs.

Chapitre 4

Sous le porche, Carole troqua ses chaussons contre une paire de bottes fourrées, puis elle enfila la grosse pelisse qui avait appartenu à son père. Le vêtement sentait encore le tabac et l'eau de mer et la jeune femme crut voir Paul O'Connor se tenant sur le seuil, avec son sourire inimitable. Au-dehors, la neige portait encore les traces profondes laissées par la Porsche de Nathan. Il était parti cette nuit avec sa voiture. Cinnamon avait disparu, elle aussi. Sans doute à la poursuite d'un rat !

Carole enfonça les mains dans ses poches, prête à affronter les rafales de vent qui faisaient tourbillonner la neige. Résolument, elle se dirigea au pied de l'ancien volcan, vers le centre de l'île planté de pins et de cèdres. Des fougères sauvages rappelaient le temps où cette épaisse végétation formait presque une forêt vierge. Un flot de souvenirs d'enfance lui revint en mémoire. Elle se revit, cueillant des myrtilles avec sa mère pour faire ensuite des confitures ou des tartes succulentes.

Elle traversa ainsi la moitié de l'île et aperçut enfin l'accueillante maison de Kate Sheridan. Kate avait été la meilleure amie de sa mère et

Carole savait qu'elle pouvait venir chez elle à l'improviste. De toute évidence, Kate l'avait vue arriver, car elle se tenait sur le seuil de la porte.

— Je savais bien, s'exclama-t-elle chaleureusement, que j'allais avoir l'occasion de quitter un moment ma machine à écrire pour faire une pause café !

Carole fut à la fois ravie et confuse de cet accueil exubérant. Kate Sheridan était l'auteur de romans d'aventures pour les jeunes, et visiblement Carole la distrayait de son travail.

— Je peux revenir un autre jour... proposa-t-elle.

— Mais pas du tout ! Vous imaginez-vous que je vais laisser échapper une visite ? A propos, je vous préviens : vous allez tout me dire sur ce personnage odieux dont vous interprétez le rôle !

Carole feignit l'indignation.

— Bouche cousue sur ce sujet ! protesta-t-elle, sachant très bien que Kate finirait par tout savoir sur ce feuilleton qui, apparemment, l'amusait beaucoup.

Kate éclata de rire, puis lui jetant un coup d'œil affectueux, elle lança tout de go :

— Vous me semblez épuisée, Carole.

Si la jeune femme acquiesça, elle fut reconnaissante à Kate de ne pas insister. Elle entra dans la confortable maison. Le living s'ouvrait sur la mer par une immense baie vitrée et, la nuit, l'on apercevait sur le continent les lumières de Seattle. Un feu de bois brûlait dans la cheminée ; le mobilier avait la simplicité émouvante de Kate. Les chaises et le canapé en rotin étaient couverts de coussins en tapisserie.

Le bureau et la machine à écrire de Kate faisaient face à la mer et, souvent, l'écrivain prétendait passer plus de temps à contempler la vue qu'à travailler. Evidemment, sa réussite contredisait cette boutade.

— Asseyez-vous vite, dit-elle à Carole. Nous ne nous sommes pas revues depuis ce Noël où vous aviez eu quelques jours de détente.

Elle disparut quelques minutes dans la cuisine pour aller chercher du café et Carole se sentit réconfortée par cet accueil affectueux.

— Comment se présente votre prochain livre ? demanda-t-elle.

— Magnifiquement, si je puis me permettre, répliqua Kate en riant. Mais parlons de vous, vous ne travaillez plus ?

Carole baissa les yeux.

— Les médecins ont décrété que j'étais trop fatiguée.

Kate s'assit sur une chaise et croisa ses jambes musclées par les grandes promenades qu'elle faisait sur l'île.

— En effet, vous n'avez pas bonne mine. Est-ce sérieux ?

— Non, pas vraiment, Kate, soupira Carole en secouant la tête.

Kate but une gorgée de café avant de reprendre doucement.

— Vous semblez surtout malheureuse, Carole... Que se passe-t-il ? Nathan ?

La jeune femme hésita, reposa sa tasse sur la table basse.

— En partie, admit-elle... Kate! Notre mariage n'est qu'une plaisanterie ! Nathan est continuellement en tournée ou bien il enregistre un disque ! Pendant ce temps, je travaille douze à quatorze heures par jour pour ce stupide feuilleton.

— Stupide, vraiment ?

Carole sentit les larmes lui monter aux yeux.

— Je crains de manquer d'impartialité, Kate, avoua-t-elle. Mais j'ai surtout embrassé cette carrière pour me prouver que je n'étais pas seulement l'épouse d'un homme célèbre... Je me sens terriblement malheureuse !

— Je comprends, murmura Kate d'un ton égal. Mais que voulez-vous vraiment, Carole ?

Cette fois, la jeune femme détourna les yeux vers la fenêtre, incapable d'affronter le regard inquisiteur et perspicace de son amie. Comme la plage paraissait étrange sous cet inhabituel manteau blanc...

— Je voudrais être une épouse et une mère, murmura-t-elle, et peut-être, un jour, me servir de ma licence d'enseignement.

Feignant l'indignation, Kate s'écria en riant :

— Quelle horreur ! Devenir une femme au foyer !

Puis, devant l'expression désemparée de Carole, elle ajouta gaiement.

— Vous avez raison, ma chérie, la vraie libération pour une femme, c'est d'obtenir ce qu'elle désire ! Nous ne sommes pas sur terre pour porter obligatoirement une cravate et un attaché-case.

Carole leva vers elle un regard indécis. Kate Sheridan était pourtant l'image même de la femme libérée. Et voilà que tout de suite, elle semblait abonder dans son sens.

— Je pensais... commença-t-elle.

— Je sais ce que vous pensez, l'interrompit Kate, péremptoire. Vous jugez qu'une femme intelligente doit consacrer son énergie à faire ce qu'elle aime, mais la première des choses est de savoir ce que l'on veut.

Kate l'observa attentivement avant de continuer.

— Carole McKendrick, c'est à vous de choisir votre destinée. Si vous ne le faites pas, votre vie sera vraiment misérable !

Cette fois, Carole éclata de rire. Kate l'avait appelée par son nom de femme mariée et cela lui faisait du bien.

— Je vous adore, Kate !

— Moi aussi, je vous aime, et il y a un moment que j'avais envie de vous secouer un peu, ma chérie. Vous êtes sûrement une bonne comédienne, mais les contraintes du métier ne vous conviennent pas. Personnellement, je vous vois davantage dans le rôle d'une mère de famille.

— Dites-vous cela pour me faire plaisir ? interrogea Carole, taquine.

— Ma chère petite, vous me connaissez assez pour tirer vous-même vos conclusions, répliqua Kate en riant.

Carole resta songeuse. Certes, quand ses relations avec Nathan seraient meilleures, la maternité et peut-être un poste d'enseignante parviendraient à l'épanouir. Elle n'écouta que d'une oreille les bavardages de son amie, perdue dans ses pensées et imaginant déjà ce qu'elle devrait dire à Nathan.

La tempête de neige redoublant de violence, Carole ne tarda pas à prendre congé. Elle traversa la forêt, l'esprit ailleurs, et marcha rapidement comme un automate. Hélas, la réalité reprit brusquement ses droits lorsqu'elle s'approcha de sa maison. Tout à côté de la Porsche de Nathan, était garée une petit MG rouge appartenant à Diane Vincent.

Elle s'arrêta, indécise ; son instinct lui conseillait de se méfier. Puis, résolument, elle franchit le seuil, et Cinnamon lui fit fête.

— Traîtresse, grommela-t-elle. Comment osestu afficher ta joie de me revoir ?

Tandis qu'elle enlevait la lourde pelisse de son père, la porte du salon s'ouvrit brusquement et Nathan apparut. Ses yeux sombres lançaient des éclairs.

— Bon sang, Carole ! Où donc étais-tu ?

Déjà, les paroles réconfortantes de Kate lui paraissaient faire partie du passé...

— J'ai été me promener, rétorqua-t-elle.

— Par ce temps ? gronda-t-il.

Carole serra les lèvres. L'humeur de Nathan avait-elle un rapport avec la présence de Diane ?

— La villa de Kate n'est pas si loin. Et puis, tempête ou non, je fais ce qui me plaît et je vais où je veux, Nathan McKendrick !

Cette fois, un demi-sourire éclaira le visage de son mari.

— Je suis désolé, Carole, mais je m'inquiétais, c'est tout. La prochaine fois, laisse-moi un mot pour m'avertir, veux-tu ?

Trop irritée par la présence de Diane, Carole n'insista pas et entra dans la cuisine. Diane lui parut sensationnelle dans son pantalon bleu pâle qui moulait ses formes parfaites. Elle portait un chemisier de soie blanche et un blouson marin. Ses longs cheveux blonds cascadaient sur ses épaules. Levant sur Carole ses yeux d'un bleu profond, elle lança avec une politesse un tantinet condescendante :

— Hello, Carole !

— Bonjour, Diane, répondit la jeune femme en se dirigeant vers la cafetière.

Sur l'île, toute cuisine devenait l'âme d'une maison, et surtout le café que l'on ne manquait pas d'offrir aux visiteurs. Nathan avait-il omis de lui en proposer ? Carole se tourna vers Diane pour l'interroger du regard.

— Non, merci, répliqua Diane.

Elle observait Carole d'un œil vaguement méprisant en sirotant la boisson fraîche que Nathan lui avait servie. Carole se sentit ridicule avec sa cafetière.

— En désires-tu, Nathan? demanda-t-elle à son mari.

Il acquiesça, parfaitement conscient du malaise qui régnait dans la pièce. Carole servit une tasse qu'elle poussa devant lui.

— C'est très mauvais pour vous, protesta Diane, en effleurant son bras.

Nathan but une gorgée et dit avec un clin d'œil à sa femme :

— Accorde-moi ce plaisir, puisque provisoirement je ne peux satisfaire les autres.

Le rouge aux joues, Carole remarqua le regard un peu insistant posé sur ses lèvres, en éprouva un mélange de satisfaction et de gêne. Quant à Diane, elle s'exclama avec une bonne humeur forcée :

— A propos, comment se fait-il que la célèbre Carole O'Connor ne soit pas devant les caméras ?

Ce moment passé avec Kate lui avait sans doute rendu confiance en elle car, relevant le menton, Carole lança mi-figue, mi-raisin.

— Mon vrai nom est McKendrick.

Une lueur d'approbation traversa les yeux de Nathan et Diane se trouva légèrement désemparée.

— Je pensais que O'Connor était le pseudonyme sous lequel vous étiez le plus connue.

— C'est mon nom de jeune fille, souligna Carole avec un sourire complaisant. Mais je suis mariée, vous savez.

Nathan suivait la joute avec amusement et, sans piper mot, acheva d'un trait sa tasse de café. De toute évidence, Diane avait perdu du terrain, mais il ne lui serait pas venu à l'idée de s'avouer battue. Enveloppant Nathan d'un regard ravageur, elle feignit d'oublier la présence de Carole.

— Qu'avez-vous décidé pour cette émission de télévision, Nathan ? A mon avis, vous devriez accepter et retourner en Australie. Sur le plan financier, la proposition n'est pas négligeable...

D'un seul coup, Carole se sentit plus misérable que jamais. Le regard brillant de son mari acheva de la décourager. Quels souvenirs ce voyage éveillait-il en lui ?

— En effet, les Australiens sont des gens charmants, souligna-t-il, avec bonne humeur.

Sans compter la présence d'une femme aussi séduisante que Diane, songea Carole avec amertume. Diane éclata de rire et son visage s'illumina.

— J'ai bien cru mourir de rire, le jour où vous vous êtes retrouvé propriétaire d'un kangourou !

Nathan grimaça un sourire, mais une certaine émotion traversa ses yeux lorsque son regard se posa sur sa femme.

— On t'a fait cadeau d'un kangourou ?

demanda-t-elle pour se joindre à la conversation. Qu'en as-tu fait ?

— Je l'ai donné à un zoo.

Diane eut un rire de gorge.

— Et ce soir de Noël, vous souvenez-vous de cette splendide réception ? Ciel ! Jamais je n'avais vu briller un tel soleil à cette époque de l'année.

Cette fois, Nathan fronça les sourcils. Craignait-il par hasard que son agent de presse n'en dise plus qu'il ne fallait ? Carole fixa le fond de sa tasse, un peu tristement. Hormis une longue conversation téléphonique avec son mari, elle n'avait eu que peu de nouvelles. Diabolique, Diane continua.

— Vous n'avez aucune idée du bonheur que l'on peut éprouver à nager en pleine mer un vingt-cinq décembre ! Au fait, qu'avez-vous fait ce soir-là, Carole ?

La jeune femme marqua un temps avant de répondre en toute honnêteté :

— Je suis restée seule.

Mais c'était mal connaître Diane Vincent que d'imaginer un instant qu'elle s'en tiendrait là. Cachant son animosité sous une feinte indulgence, elle reprit doucement.

— Allons, Carole, vous ne nous ferez jamais croire que vous êtes restée toute la soirée assise à faire du tricot ! Tout le monde sait que Brad Ranner donne des réceptions merveilleuses et j'ai lu quelque part que vous aviez célébré la nouvelle année dans un chalet de montagne.

Carole l'avait oublié... En effet, dans un journal à scandales, une rubrique lui avait été consacrée. « Le mariage McKendrick s'effondre », avait-elle lu une semaine plus tard. On lui avait d'abord prêté une liaison avec un chanteur qu'elle n'avait jamais rencontré. Ensuite, on lui avait découvert une intéressante aventure aux sports d'hiver. Bien entendu, l'une et l'autre n'étaient que pures inventions, mais ces calomnies l'avaient désolée. Pourquoi les journalistes n'écrivaient-ils pas des livres de science-fiction afin de satisfaire leur imagination ?

Diane se mit à rire.

— Sans commentaire, n'est-ce pas ? Quelle version avez-vous donnée aux journalistes ?

Carole avait-elle à se justifier aux yeux de cette femme ? Pressant ses mains l'une contre l'autre, elle se sentit incapable d'affronter tout de suite le regard de Nathan.

— Je ne leur ai pas parlé, riposta-t-elle. Ces histoires sont des mensonges et vous le savez aussi bien que moi, Diane.

Désinvolte, Diane s'assit sur le bord d'une chaise.

— Parfois, la chance leur sourit et ils impriment la vérité, dit-elle d'un ton léger.

— Bon, ça suffit ! intervint enfin Nathan, d'un ton glacial. Diane, tout ceci ne vous regarde pas.

Un sourire enjôleur se dessina sur les lèvres de

Diane. Sans se démonter le moins du monde, elle rétorqua, amusée.

— Exact ! D'ailleurs, n'avez-vous pas eu droit à toute leur attention, vous aussi ? N'êtes-vous pas l' « amour caché d'un chanteur de rock » ?

Carole se demanda si la tension qui régnait maintenant dans la cuisine n'allait pas finir par faire exploser la maison. Pointant son doigt sur la poitrine de Diane, Nathan rétorqua du tac au tac.

— Ma chère, vous oubliez aussi ce titre à la une : « Un agent de presse s'enflamme »...

Pour qui ? songea Carole. Mais, cette fois, Diane capitula. Elle piqua un fard comme une collégienne et de vraies larmes brillèrent dans ses yeux.

— Je plaisantais... N'en parlons plus. Où avez-vous passé Noël, Carole ?

— Au pôle Nord, en compagnie de quatorze nains et d'un chameau !

Nathan éclata de rire et Diane, vexée, se sentit exclue de leur complicité.

— Ne pouvons-nous parler sérieusement ? insista-t-elle, d'un ton peiné.

— J'en doute, répondit Carole. D'ailleurs, ne deviez-vous pas partir ?

— Bonne idée ! jeta Nathan.

— Nathan ! s'exclama Diane, profondément choquée.

Ce dernier se leva, imposant silence à tout le monde.

— Diane, assez de persiflages !

Furibonde, Diane tourna les talons, non sans avoir décoché à Carole un regard meurtrier. La porte de la cuisine claqua derrière elle, puis le lourd battant de l'entrée résonna à son tour.

— Merci, dit Carole, avec un soupir de soulagement.

— Oh ! de rien, dit Nathan en se rasseyant.

— Tu sais, ces ragots à mon sujet...

— Oublie-les, Carole.

Il tendit la main pour lui pincer gentiment le menton, mais Carole était justement incapable d'oublier !

— Je me trouvais ici, Nathan... sur l'île... et j'ai passé le réveillon de Noël avec Lucy et Alex... le jour suivant, j'ai dîné avec Kate Sheridan... Je...

Les doigts de Nathan se posèrent sur ses lèvres.

— Allons, tout va bien, Carole.

La jeune femme se recula. Elle aussi était plus blessée par les paroles de Diane qu'elle ne voulait se l'avouer.

— Et toi, Nathan, qu'as-tu fait ce soir-là ?

— J'ai beaucoup trop bu.

— Pas de sapin de Noël ?

— Pas de sapin.

Carole soupira tristement.

— Moi non plus... Mais Lucy en avait fait un et il était ravissant.

Sous le regard insistant de son mari, elle comprit qu'il pensait à toutes ces merveilleuses décorations rapportées du monde entier. Jusqu'à présent, ils avaient célébré cette fête avec un bonheur enfantin.

— Pas d'arbre et pas de cadeaux ? répéta-t-il, incrédule et légèrement moqueur.

Se souvenait-il de l'excitation puérile qui animait régulièrement sa femme les semaines précédant Noël ?

Pourtant, si ! Carole avait reçu un certain nombre de cadeaux. Une blouse en soie de Kate, des livres de Lucy et d'Alex, une chaîne en or de Pat, mais pourquoi en parler ? Le paquet que Nathan lui avait envoyé se trouvait encore dans une chambre de leur appartement de Seattle, et elle ne l'avait pas ouvert.

Levant sa tasse de café, elle porta un toast à cette soirée gâchée.

Chapitre 5

Heureusement, Nathan eut le bon goût de ne pas insister. Il changea délibérément de conversation, pour annoncer d'un ton badin :

— Femme, retourne à tes fourneaux !

Un coup d'œil sur la pendule leur rappela qu'en effet l'heure du dîner était amplement dépassée.

— Je vais m'y mettre, dit-elle, docile.

Avec satisfaction, elle découvrit que son mari avait abondamment rempli le réfrigérateur et le buffet. Rien ne manquait ! Pendant que la soupe réchauffait, Carole prépara des sandwiches pour Nathan car elle n'avait absolument pas faim. Nathan se contenta de mettre la table. Il parut soulagé en entendant la sonnerie du téléphone et la jeune femme en éprouva un pincement au cœur. Tous les prétextes étaient-ils bons pour éviter de lui adresser la parole ?

— Allô ? Ah ! Madame Jeffries ! Oui, Diane reste sur l'île... L'orchestre doit venir et sera là avant la tombée de la nuit, je suppose... Aussi, si vous avez besoin d'un extra, engagez-le...

Carole remplit les deux bols d'une main tremblante.

Un flot d'amertume l'inonda. Nathan donnait

ces ordres à sa femme de ménage afin que Diane Vincent et toute la bande soient installés le plus confortablement possible... dans sa villa ! Une villa qu'il possédait de l'autre côté de l'île.

Du coin de l'œil, il observait sa femme dont il devinait les pensées hostiles.

— Parfait, continua Nathan. Achetez ce que vous voulez, je ne sais pas ce que contient le réfrigérateur...

Carole, perfide, s'étonna :

— Comment ? Pas de langoustes ? Pas de filet mignon ?

— Tais-toi ! lâcha-t-il.

Puis, avec une grimace comique, il protesta.

— Mais non, madame Jeffries, ces paroles ne vous étaient pas destinées ! Bon... habituellement, ils viennent accompagnés de leur épouse.

— Alors, dis-lui de sortir les draps de satin ! continua Carole en le menaçant de sa cuillère à soupe.

Nathan lui jeta un regard sombre.

— En effet, mettez des draps de satin à tous les lits, madame Jeffries.

Cette fois, Carole hocha la tête avec dédain. Mais, visiblement, cette colère amusait beaucoup son mari. Dans le but évident de la faire enrager, Nathan ajouta :

— N'oubliez pas les serviettes de toilette !

Le singeant, Carole répéta mot à mot cette dernière recommandation, puis suavement, elle susurra :

— D'autant que Diane Vincent adore jouer les sirènes de baignoire !

Nathan s'empressa de raccrocher et se mit à rire.

— Tes plaisanteries sont d'un goût exquis, ma chère !

Mais conciliant, il ajouta :

— Ce n'est pas une orgie que j'organise, tu sais.

— Pourtant, le décor de la villa pourrait t'y inciter.

Les yeux de Nathan s'assombrirent brusquement et, avec une once d'impatience, il rétorqua.

— Puis-je souligner que tu te soucies bien peu de la Baie de l'Ange ! Si je ne me trompe, tu condescends rarement à nous faire l'honneur de ta présence !

Carole était bien obligée de reconnaître qu'elle venait rarement à la Baie de l'Ange. Il y avait toujours trop de monde et trop de bruit dans cette villa magnifique, de style espagnol. Un sentiment de culpabilité l'envahit.

— Assieds-toi et mange, dit-elle d'une petite voix timide.

Etonné par une capitulation aussi rapide, Nathan obtempéra et avala sa soupe froide, puis s'attaqua à ses sandwiches. Plus déprimée que jamais, Carole parvint à grignoter deux bouchées. Quand elle releva la tête, elle croisa le regard de son mari.

— Tu n'as vraiment décoré aucun sapin de Noël cette année ? reprit-il, incrédule.

Nathan était têtu comme une mule, elle aurait dû le savoir. Il n'y avait plus d'échappatoire.

— Non, répondit-elle, avec franchise.

— Toi ? répéta-t-il, perplexe, en se penchant par-dessus la table.

Toute trace de colère avait disparu de ses traits. Carole hocha la tête.

— Aussi vrai que j'existe, il n'y a pas eu de Noël cette année.

Nathan l'observait avec étonnement.

— Et les cadeaux que je t'ai envoyés ? N'as-tu pas reçu les paquets ?

Carole eut un sourire timide. Comment lui faire comprendre qu'elle n'avait vraiment pas eu le cœur de les ouvrir ?

— Ils sont dans le placard de la chambre d'amis, avoua-t-elle d'une toute petite voix. Mais toi, as-tu bien reçu les miens ?

Il prit une profonde inspiration.

— Dieu du ciel ! Crois-tu être la seule à avoir souffert de cette séparation ?

Il hocha pensivement la tête.

— Dans quel placard ? insista-t-il.

Carole afficha une expression désinvolte très éloignée de ce qu'elle ressentait à cet instant.

— Je ne me souviens plus, il y en a tellement dans cet appartement !

— Carole, je ne te crois pas, réponds-moi !

— Dans la chambre où Pat a dormi lorsqu'elle est venue, dit-elle en fronçant les sourcils.

Un long moment, Nathan demeura silencieux et pensif. Puis, lorsque ce repas de fortune fut terminé, il se leva, en repoussant sa chaise qui grinça sur le linoléum. D'un ton à la fois bourru et tendre, il grommela :

— Je suppose que tu n'es guère disposée à accueillir l'orchestre à la villa ?

Carole acquiesça. Elle le soupçonnait de ne pas souhaiter sa présence à la soirée. Tout compte fait, la jeune femme en fut soulagée. Mieux valait rester tranquillement ici à se remettre de ses émotions en compagnie de Cinnamon.

— Salue tout le monde de ma part, dit-elle, d'un air bravache.

Mais, elle refoula ses larmes quand Nathan effleura ses lèvres d'un baiser hâtif.

Lorsqu'il fut parti, Carole se dirigea vers le salon, désœuvrée, lasse, cherchant sans conviction un livre qu'elle n'avait pas le courage de lire. Elle était stupide, entêtée et de plus, consciente de l'être ! N'importe quelle autre femme aurait eu suffisamment de volonté pour traverser l'île et se rendre à la villa. Mais voilà... Croisant ses bras sur sa poitrine, un rire à la fois moqueur et désespéré lui échappa.

— Ciel ! Je suis trop déprimée ! gémit-elle.

Cinq minutes plus tard, roulée en boule sur le sofa, elle était plongée dans la contemplation d'un vieux film vidéo.

La maison était glaciale et plongée dans l'obscurité quand la truffe humide de Cinnamon sur sa joue la réveilla en sursaut. La jeune femme s'assit sur le divan sur lequel elle avait fini par s'endormir, inquiète de l'absence de Nathan. Il était trois heures du matin et, bien entendu, Cinnamon n'avait pas mangé !

— Je suis un bourreau ! balbutia Carole, à moitié endormie, en caressant Cinnamon.

Elle alla péniblement jusqu'à la cuisine pour remplir l'écuelle de la chienne. Où donc était Nathan ? Probablement à la Baie de l'Ange, en train de faire de la musique avec Diane Vincent. Après tout, Carole préférait ne pas savoir. Elle chercha dans son sac les somnifères que lui avait donnés son médecin et avala une pilule avec un peu d'eau. Voilà au moins qui lui garantirait encore quelques heures de sommeil et d'oubli.

La matinée était fort avancée lorsque Carole ouvrit les yeux. La maison lui sembla emplie d'odeurs étranges et de sons insolites... Elle s'assit sur son lit, et écarquilla les prunelles, incrédule. Ma foi, cela sentait effectivement la dinde rôtie, tandis que des cantiques de Noël résonnaient dans les pièces... ? Carole fronça les sourcils, étourdie. Que se passait-il ? Devenait-elle folle ? Enfilant le polo de football de Nathan, elle se dirigea vers la cuisine. Un coup d'œil sur la fenêtre lui révéla que la neige était de nouveau tombée.

— Nathan... ?

Ses narines palpitèrent lorsqu'elle poussa la porte et les effluves parfumés devinrent tout à fait évidents ! La table était couverte d'oignons émincés, de pelures de tomates et d'un assortiment de bols sales. Des coquilles d'œufs voisinaient avec des branches de céleri, présages de tout un festin mijotant sans doute dans le four.

Le cœur de Carole se mit à battre à grands coups. Les cantiques de Noël provenant du salon accentuaient l'atmosphère à la fois irréelle et magique. La jeune femme appela de nouveau.

— Nathan... ?

Peut-être rêvait-elle encore ? Elle poussa la porte du living et une exclamation ravie jaillit de ses lèvres. Nathan se tenait dans un coin de la pièce, grimaçant comme un gamin, à côté d'un gigantesque sapin brillant de mille feux. Rien n'avait été oublié : ni les bougies, ni les cheveux d'ange, ni les boules de verre qui miroitaient au milieu des guirlandes.

— Joyeux Noël, petite chatte !

Carole entrouvrit la bouche... Ses yeux s'embuèrent. Partagée entre le rire et l'émotion, elle balbutia.

— Nathan McKendrick... nous sommes à la mi-janvier !

Son mari se contenta de sourire.

— Pas dans cette maison, en tout cas. Vas-tu te décider enfin à ouvrir tes cadeaux ?

Des paquets de toutes les couleurs se trouvaient entassés au pied de l'arbre. Evoquant ses soupçons, la jeune femme fut envahie d'un sentiment de culpabilité. Maintenant, elle savait où Nathan avait passé la nuit !

— Tu as fait le trajet jusqu'à Seattle !

— Cela m'a paru logique, non ?

— Logique ?

Elle éclata de rire et se jeta dans ses bras. Ils restèrent un long moment enlacés, leur corps vibrant à l'unisson. Puis Carole s'assit en tailleur et commença à ouvrir ses paquets, poussant des cris de joie en découvrant les merveilles qu'il lui avait envoyées de Sydney. Toute à son enthousiasme Carole souligna :

— Quel malheur, je n'ai plus rien pour toi !

Nathan se pencha avec une moue fort explicite.

— Je vais réfléchir à ce que tu pourrais bien me donner.

Le cœur de la jeune femme bondit dans sa poitrine. Un flot de désir l'inonda et, rougissante, elle hésita à affronter le regard de son mari. Assis sur un bras du sofa, il lui apparut plus séduisant que jamais dans sa chemise bleue et son pantalon de flanelle gris.

L'émotion la submergea et elle bredouilla.

— Je t'aime...

Nathan s'agenouilla à ses côtés. Du doigt il releva doucement son menton et chuchota.

— J'espère que vous pensez ce que vous dites, madame.

Elle se laissa glisser entre ses bras. Leurs lèvres se joignirent. Un instant plus tard, l'épaisse moquette du salon accueillait leur fièvre amoureuse. Doucement, la bouche de Nathan se promena sur son cou avant de descendre sur sa gorge. Carole laissa échapper un gémissement de bonheur.

— Tu aimes mes caresses, mon chaton ? la taquina-t-il.

Ils retrouvaient l'émotion de leur nuit de noces, et il la guida avec la même délicatesse qu'il avait eue jadis. Carole, trop émue, ne put dire un seul mot... Le temps s'était arrêté... Plus rien n'avait d'importance, hormis le temps présent.

Elle eut à peine conscience qu'il la prenait dans ses bras pour la porter sur le divan et la dévêtir, quêtant dans son regard un signe de consentement.

Lorsqu'ils ne firent plus qu'un, Carole eut la certitude que leur acte d'amour était devenu cosmique et que leurs cris de bonheur seraient entendus des étoiles.

Puis Cinnamon se mit à aboyer. La porte d'entrée claqua et la voix forte d'Eric Moore résonna dans le hall.

— Nathan ! Tu es là ?

Chapitre 6

Pourquoi diable Eric Moore avait-il eu la malencontreuse idée d'interrompre leurs ébats ? Avant que le guitariste de l'orchestre ne surgisse dans le salon, Nathan bondit sur ses pieds et réajusta ses vêtements tant bien que mal.

— Reste où tu es, Eric ! ordonna-t-il d'une voix de stentor. Et, la prochaine fois, frappe avant d'entrer !

Il sortit de la pièce avec un soupir. La jeune femme enfila en hâte le survêtement de jersey rouge que son mari lui avait offert. Certes, c'était ridicule, mais la déception lui nouait à nouveau la gorge. Un profond sentiment de solitude l'envahit. Elle demeura assise par terre, jouant avec les ficelles dorées de ses paquets, sans parvenir à rassembler ses idées. Une fois de plus, Nathan lui échappait. Les deux hommes étaient heureusement partis discuter dans la cuisine. A quoi bon abandonner sa carrière de comédienne, si son mari continuait sempiternellement à s'absenter quand elle avait besoin de lui. Ce serait un nouveau disque, une nouvelle tournée. Les impératifs du métier ne cesseraient jamais !

Elle ramassa le petit kangourou en peluche que Nathan lui avait acheté à Sydney et se laissa tomber sur le divan. Au bout de quelques minutes, Nathan revint dans le salon et, d'une voix rauque, murmura à regret.

— Ecoute, je dois retourner à la Baie de l'Ange pour un moment. Diane a encore fait des siennes. Veux-tu m'accompagner... ?

Carole ne daigna même pas relever la tête, et se contenta d'un geste de dénégation.

— Ecoute, ma chérie...

— Non, non, ne t'inquiète pas, tout va bien. Finis-en avec tes affaires.

— Nous parlerons à mon retour, nous avons beaucoup de choses à nous raconter.

Oui. C'était le moins qu'on puisse dire !

Carole murmura d'une voix étouffée :

— Je serai là, je t'attends...

Elle entendit décroître le bruit de ses pas et appela comme au secours :

— Nathan !

Par bonheur, il n'avait pas encore refermé la porte derrière lui.

— Que veux-tu ?

— Je t'aime.

Alors, traversant de nouveau la pièce, il se pencha sur elle et l'embrassa passionnément. Une seconde plus tard, il avait disparu et, avec lui, toute la magie de la fête. Le sapin de Noël devenait dérisoire. Carole demeura immobile jusqu'à ce qu'une odeur de brûlé lui parvienne de la cuisine. Bon sang, la dinde !

Après avoir retiré du four l'œuvre culinaire de

Nathan, Carole revint dans sa chambre pour s'habiller. A cet instant, le téléphone sonna de nouveau.

— Allô ! dit-elle sèchement, sûre qu'un importun allait encore réclamer Nathan.

Elle reconnut la voix douce de Pat.

— Carole, c'est moi... Je suis navrée de te déranger.

— Mais non, Pat, rassure-toi, tu ne me déranges jamais, répondit Carole, désolée de s'être montrée si brusque. Je n'ai rien contre toi.

— Oui, je m'en doute, c'est plutôt tous ces gens qui t'assomment, n'est-ce pas ?

Carole adorait sa belle-sœur. A vingt-deux ans, Pat n'était encore qu'une gamine mais, tout comme son frère, elle possédait une grande maturité qui la rendait rassurante.

— En effet, admit Carole. Pour commencer, tout l'orchestre est sur l'île et le pire c'est Diane Vincent, l'agent de publicité de Nathan !

Pat soupira profondément :

— Ne me parle pas de cette femme, tu vas me couper l'appétit.

La chaude compréhension de la jeune fille bouleversa Carole. Comme un enfant en proie à un immense chagrin, elle éclata brusquement en sanglots.

— Carole chérie, qu'y a-t-il ? Que puis-je faire pour toi ?

Incapable de répondre, Carole hoqueta. Jamais elle ne s'était sentie aussi ridicule. Pourquoi fallait-il que le moindre geste d'amitié la mette dans un état pareil ?

— Bon, reste tranquille, continua Pat. J'arrive.

Carole brancha le répondeur automatique puis elle se laissa tomber sur une chaise et plongea son visage entre ses mains. Le déclic du téléphone l'avertit qu'un nouvel appel venait d'être enregistré. Décidément, on ne pouvait les laisser en paix plus de cinq minutes !

Carole ravala ses larmes et se plongea dans un bain chaud dans l'espoir de se laver de toutes les questions qui l'assaillaient. Qu'avait voulu dire Nathan par : Diane a encore fait des siennes ? La jugeait-il vraiment aussi insupportable qu'il le prétendait ?

Ayant recouvré son calme, elle brossa longuement ses cheveux et se maquilla légèrement. Le miroir lui renvoya l'image de son visage amaigri. Evidemment, pendant le tournage, personne n'avait pu déceler sa mauvaise mine. Le fond de teint qu'elle devait appliquer avant d'affronter les caméras lui donnait une santé factice. Ici, il n'en était pas de même. Rien d'étonnant à ce que Nathan et ses amies se soient inquiétés de son teint blafard. Comme elle avait malheureusement oublié son fard à joues, elle tenta de se redonner des couleurs en se pinçant fortement les pommettes. Enfin, ayant revêtu un jean confortable et un sweater moelleux, elle regagna le salon ; les lumières du sapin brillaient toujours et, avec un soupir, la jeune femme éteignit les guirlandes électriques et se réfugia à la cuisine. Elle décida machinalement de partager un morceau de dinde avec Cinnamon.

Après avoir rangé le joyeux désordre laissé par Nathan, elle se préparait une tasse de café, lorsque soudain le bruit d'une voiture se fit entendre.

Son cœur battit la chamade. Peut-être était-ce enfin Nathan qui en avait terminé avec les caprices de son agent de publicité ? De peur d'être déçue, elle évita de se précipiter à la fenêtre pour vérifier.

En fait, c'était Pat, qui entra dans la cuisine en frissonnant.

— Miséricorde, qu'il fait froid ! gémit-elle.

Ses cheveux dorés étaient couverts de flocons de neige et Carole se mit à rire lorsqu'elle la vit se précipiter devant le fourneau pour se réchauffer. Après s'être débarrassée de son manteau, Pat s'assit en face de Carole pour boire une tasse de café.

— Dis-moi, reprit Pat au bout d'un moment, tu m'as semblé bouleversée tout à l'heure. Te sens-tu mieux ?

Carole acquiesça. D'un côté, toute cette sollicitude l'exaspérait ; de l'autre, elle ne pouvait qu'éprouver de la reconnaissance pour Pat. Néanmoins, il était hors de question d'aborder avec la sœur de Nathan ses problèmes intimes.

— Honnêtement, ça va, Pat... Je suis navrée de

t'avoir inquiétée... Pourrions-nous parler d'autre chose ?

Pat lui jeta un regard furibond : sa belle-sœur ne faisait qu'esquiver les difficultés... Mais, toujours discrète, elle se contenta de reprendre, moqueuse.

— Toi et Nathan m'aviez assuré qu'il faisait doux ici ! T'es-tu aperçue au moins qu'il neigeait depuis une semaine ?

Carole eut un sourire amusé.

— Que puis-je répondre pour notre défense ? Il y a des années que tout le monde oublie qu'ici il neige beaucoup ! Le temps à Seattle doit être plus clément.

Pat roula des yeux indignés.

— C'est du délire, veux-tu dire ! Quand j'ai traversé la ville pour prendre le ferry, il y avait un monde fou, glissant et dérapant dans les rues. Les gens vont jusqu'à dormir dans leur voiture !

— La vérité est que tu adores Seattle, Pat ! la taquina sa belle-sœur.

Le sourire de Pat s'élargit et ses yeux pétillèrent.

— Exact ! Je l'adore ! L'eau, les montagnes, les arbres, avoua-t-elle.

— Et puis, les baguettes fraîches que l'on trouve sur la place du Marché, ajouta Carole en riant.

Pat secoua la tête.

— J'ai renoncé au pain ainsi qu'aux cigarettes.

— Et Roger Carstairs ? Y as-tu également renoncé ?

Cette fois, le visage de la jeune fille s'illumina comme celui d'une gosse devant un sapin de Noël en entendant nommer le jeune avocat qui s'occupait des biens immobiliers de Nathan. Depuis quelque temps, elle en parlait vraiment beaucoup.

— Pas question, Carole ! Ce n'est pas dans mes habitudes de me priver de mes plaisirs !

Une lueur amusée brilla dans les yeux verts de Carole.

— Patty McKendrick, tu es amoureuse !

Pat rougit et secoua vigoureusement la tête.

— Surtout, ne dis rien à Nathan, veux-tu ? Je n'ai aucune envie de le voir jouer les grands frères protecteurs ; il serait capable de demander à Roger quelles sont ses intentions !

Carole éclata de rire. C'était bien connaître Nathan ! D'abord, il adorait sa cadette, ensuite c'est lui qui en était responsable depuis la mort de leurs parents.

— C'est promis, je ne dirai rien !

— Bien. Maintenant, quoi de neuf au sujet de mon frère ? Il m'a paru bien nerveux, l'autre soir, dans l'appartement.

Posant sa main sur celle de sa belle-sœur, Carole protesta.

— Il va très bien. C'est moi le vilain petit canard !

Comme son frère, Pat savait se montrer très perspicace :

— Carole, je t'adore, mais tu as une mine affreuse. As-tu prévenu Nathan que tu comptais ne pas renouveler ton contrat pour le feuilleton ?

Le regard de la jeune femme se fixa avec un intérêt soudain sur la fenêtre. La neige ne cessait de tomber.

— Non, dit-elle brièvement.

— Pourquoi ?

Cinnamon fit diversion en venant appuyer sa grosse tête sur la cuisse de sa maîtresse. Depuis que Nathan s'était éclipsé, la chienne devait de nouveau se sentir abandonnée. Carole la caressa en murmurant, laconique.

— Je ne sais pas comment il va le prendre.

— Que veux-tu dire ? Tu sais très bien qu'il déteste toute cette publicité faite autour de toi...

Pat s'interrompit un instant, puis ajouta :

— Carole, cela le blesse aussi de te voir jouer sous ton nom de jeune fille...

— Je sais.

Elle se souvint de la lueur atisfaite qui avait brillé dans les yeux de Nathan, lorsqu'elle avait rappelé à Diane Vincent son nom de femme mariée. En fait, l'occasion ne s'était pas présentée pour lui faire part de sa décision. A moins qu'elle n'en ait pas eu le courage... ?

— La vérité, Pat, c'est que je ne suis pas certaine que Nathan soit enchanté de me voir reprendre ma place au foyer.

— Parle-lui, Carole. Force-le à t'écouter même si son groupe doit en faire les frais.

Pat avait raison. Carole le savait. Depuis le début de leur mariage, trop souvent elle avait cédé devant les obligations de son mari. Une onde de colère l'inonda et ses joues rosirent. Maintenant, son tour était venu de se faire entendre.

Pat s'adossa à sa chaise.

— J'ai l'impression que j'ai vu juste. Où est-il en ce moment ? Dans l'autre maison, je suppose ?

Carole inclina la tête. Pat se leva et alla chercher son manteau dans l'entrée. Quand elle revint dans la cuisine, elle déclara avec assurance :

— Je crois que je ne vais pas passer la nuit ici. Il fait trop mauvais, je préfère regagner Seattle ce soir. Toi, madame McKendrick, tu vas me faire le plaisir d'appeler Nathan au téléphone afin qu'il rentre sans tarder.

La jeune femme étouffa un soupir. On ne donnait pas d'ordres à Nathan ! Pat le savait aussi bien qu'elle.

— Mais, s'il est occupé... ? commença-t-elle.

Elle s'interrompit, honteuse de lui chercher encore des excuses. Occupé à quoi ? A tenir les mains de Diane ? Ou bien à lui frotter le dos dans son bain ?

Pat serra les lèvres avec une expression exaspérée.

— Par pitié, Carole, cesse d'afficher un fatalisme de paysanne ! Nathan est un homme, non un dieu. Il est grand temps qu'il se préoccupe de son ménage et si tu ne te sens pas capable de le lui dire, je le ferai !

Sur cette déclaration, la jeune fille tourna les talons.

Carole se mordit les lèvres, hésitant à téléphoner. En formant le numéro, ses mains tremblaient légèrement. Bien entendu, ce ne fut pas Nathan qui décrocha mais un membre de l'orchestre. D'une voix traînante, il répondit :

— Qui est à l'appareil ?

— Carole McKendrick, pouvez-vous me passer Nathan, s'il vous plaît ?

— Il n'est pas là pour l'instant.

Carole sentit son estomac se nouer.

— Où est-il ?

Il y eut un interminable silence.

— Eh bien, Diane a encore fait un caprice et il est parti la raccompagner à Seattle.

Carole s'adossa au mur de la cuisine, sa bouche devint sèche.

— Quel genre de caprice ?

— Je ne sais pas au juste... Elle était dans tous ses états, mais voyez-vous j'ignore les détails.

— Il doit cependant y avoir une raison, insista-t-elle.

Un autre silence s'ensuivit.

— Ecoutez, je dirai à Nathan de vous rappeler dès son retour. Ça va ?

— Parfait, dit-elle en raccrochant.

Folle de rage, elle s'engouffra dans sa chambre et entassa quelques vêtements dans une valise. Trente minutes plus tard, Cinnamon assise à ses côtés, Carole prenait le volant de sa voiture. Elle attraperait le premier ferry en partance pour Seattle.

La tempête de neige n'avait jamais été aussi violente, et le spectacle eût été magnifique si Carole n'avait pas été aussi malheureuse.

Lorsqu'elle parvint au ferry, Pat ne s'y trouvait plus, elle avait dû monter dans le précédent. Tout au long du parcours, elle contempla les flocons blancs venant s'écraser mollement sur la mer.

Elle arriva chez elle, complètement épuisée. Le gardien, George Roberts, l'accueillit avec un étonnement non déguisé.

— Madame O'Connor ! Je vous croyais sur l'île ?

De nouveau, Carole faillit lui rappeler qu'elle s'appelait aussi McKendrick mais ce n'était vraiment pas le moment.

— Monsieur McKendrick est-il là ? demanda-t-elle.

L'homme secoua la tête.

— Non, madame, il n'est pas chez lui.

Il jeta un coup d'œil inexpressif sur la chienne qui aboyait furieusement dans la voiture.

Carole n'insista pas. Son regard balaya la baie féerique sous cette tornade blanche. Une vive douleur lui laboura la poitrine... Ces flocons de neige sur la mer lui parurent cruels, dans leur irréelle beauté... A peine effleuraient-ils la surface des vagues qu'ils se fondaient en elles... tel un amour brûlant mais éphémère.

Chapitre 7

Tandis que George, le gardien, garait sa voiture, Carole gagna l'ascenseur avec Cinnamon. Elle prit soin de ne pas faire remarquer les pattes boueuses de la chienne. Le pauvre animal ne serait guère à la fête dans l'appartement et Carole soupira, en glissant la clef dans la serrure. Après avoir erré dans les grandes pièces vides, la jeune femme prépara la pâtée de Cinnamon tout en se demandant comment elle allait occuper cette longue soirée.

En définitive, elle gagna sa chambre et décida de se mettre au lit. Des larmes commencèrent à sourdre sous ses paupières. La jeune femme se glissa entre les draps de satin tandis que Cinnamon s'installait sans vergogne sur le couvre-lit. Cette fois, Carole ne put s'empêcher de rire.

— Tu es vraiment une chienne de luxe ! Désolée de n'avoir pu te trouver un peu de caviar pour le dîner !

Mais, un instant plus tard, sa tristesse l'étouffait à nouveau. Elle avait été folle de quitter l'île sans rien dire. Si par hasard Nathan y retournait sans passer par ici, il serait furieux et s'inquiéterait. Mais n'était-ce pas stupide de se morfondre pour un mari qui passait sans doute sa soirée avec Diane Vincent !

Carole enfouit son visage dans l'oreiller et s'abandonna à ses pleurs. Puis elle s'endormit.

Nathan jeta un coup d'oeil irrité sur la pendule de son tableau de bord. Il était tard !

Diane l'enveloppa d'un regard insistant pendant qu'il manœuvrait la voiture. A peine eurent-ils quitté le ferry qu'ils se retrouvèrent dans la circulation dense de Seattle. Une expression tendue se peignait sur les traits de la jeune femme et ses mains se crispèrent sur ses genoux. Quel mélodrame ! pensa Nathan. Elle aurait dû être comédienne !

— J'ai l'impression de vivre un cauchemar, murmura-t-elle dans un souffle.

Bon, sans doute fallait-il se montrer indulgent ! Elle avait été bouleversée par la décision qu'il avait prise. Aussi avait-il envisagé de la conduire chez ses parents, à Tacoma, afin de ne pas la laisser seule mais ce projet avait échoué : les parents de Diane étaient absents.

— Ecoutez, Diane, soupira-t-il, je suis vraiment désolé que vous ayez appris cette nouvelle par un de mes musiciens. Qu'aurais-je pu vous dire de plus ?

Comme si le sort s'acharnait sur elle, Diane leva vers lui un visage faussement résigné.

— Quelle importance ? Nous sommes tous

concernés, aussi je ne vois pas ce que cela aurait changé de l'apprendre de votre bouche.

Il n'y avait rien à répondre et Nathan se concentra sur la conduite. Après un moment de silence, elle reprit.

— Vous faites cela pour Carole, n'est-ce pas ?

Il se raidit, mais se garda bien de le montrer.

— Carole est ma femme, répliqua-t-il d'un ton égal.

La jeune femme eut un rire bref et méprisant.

— Votre femme ! Nathan, avez-vous perdu la raison pour lui sacrifier votre carrière ?

Cette fois, il lui décocha un regard glacial.

— Faites attention à ce que vous dites, Diane.

— Mais pourquoi ? Nathan, trouvez une autre excuse ! Si elle vous aime, elle...

— Diane, je suis fatigué, l'interrompit-il, exaspéré. J'ai gagné suffisamment d'argent pour prendre désormais le temps de vivre. J'ai réussi tout ce qu'il était humainement possible de faire dans mon métier. Maintenant, j'ai l'intention de m'occuper de mon mariage.

— Il n'existe pas ! s'écria Diane, perdant tout contrôle. Votre union avec Carole est une plaisanterie !

Les doigts de Nathan se crispèrent sur le volant, mais il garda son sang-froid.

— Votre opinion sur ma vie privée me laisse indifférent, Diane.

De nouveau, celle-ci prit un ton hystérique pour protester.

— Ainsi, vous ne donnerez plus de concerts ? C'est bien cela, hein ? Plus de variétés à la télévision ? Plus de tournées, plus de disques ?

— Je continuerai sûrement à enregistrer mes chansons et à les composer. Mais, effectivement, j'abandonne la foule, les fans et les tournées aux quatre coins du monde.

— Comment vous y prendrez-vous pour enregistrer vos disques sans votre orchestre ?

Nathan soupira. La scène recommençait.

— Si mes musiciens sont d'accord, nous travaillerons ensemble.

Il lui jeta un bref coup d'œil et découvrit exactement ce qu'il redoutait : un certain espoir se lisait sur son visage. Ne pouvait-elle donc envisager de travailler pour quelqu'un d'autre ? Diane était un excellent agent de presse et n'aurait aucun mal à trouver un nouvel employeur. Nathan ne l'avait jamais aimée sur le plan privé, mais professionnellement il n'avait pas le moindre reproche à lui faire.

— Dans ce cas, souligna-t-elle, je peux continuer à m'occuper de vos contacts avec la presse ?

— Non.

La jeune femme garda un silence menaçant. Nathan ralentit en s'engageant dans le parking. Ils étaient arrivés chez la sœur de Diane. Ses activités la retenant la plupart du temps à Los Angeles, Diane n'avait pas de pied-à-terre à Seattle. Nathan arrêta la voiture et se retourna vers sa passagère.

— Bonne nuit, Diane. Vraiment, vous me voyez navré de tout ceci.

Les lèvres tremblantes, elle rejeta ses cheveux en arrière.

— Gardez vos regrets. Vous en aurez grand besoin bientôt, Nathan McKendrick !

Avec un soupir, il se contenta de ramasser la valise de cuir posée sur le siège arrière.

— Pouvez-vous me dire ce que cela signifie ?

— Je vous ai lancé, Nathan. Je peux aussi facilement vous descendre en flèche.

— Quel mélodrame de mauvais goût, rétorqua-t-il.

Mais Diane avait déjà ouvert la portière et, sortant rageusement de la voiture, elle se retourna pour vitupérer.

— Combien de temps croyez-vous que votre naïve petite femme restera près de vous après un joli scandale, chéri ?

Cette fois, Nathan fut à deux doigts d'exploser. Il serra les mâchoires et plissa légèrement les yeux.

— Si vous faites quoi que ce soit pour blesser Carole, sachez, ma chère Diane, que vous n'aurez pas assez d'une vie pour le regretter.

Un sourire machiavélique déforma les lèvres de Diane et elle répondit :

— Ou pour le savourer. Bonne nuit, play-boy !

Tout en se demandant comment il avait fait pour ne pas lui tordre le cou pendant des années, Nathan la suivit des yeux jusqu'à ce qu'elle s'engouffre dans l'ascenseur. Ensuite, un second coup d'œil sur sa montre le fit bondir. Pourquoi n'avait-il pas téléphoné à Carole avant de quitter l'île ? Dieu seul savait ce qu'elle pouvait penser de ce retard !

Sa Porsche amorça un demi-tour. Peut-être pourrait-il l'appeler tout de suite ? Mais la jeune femme devait sûrement dormir. Mieux valait rentrer au plus vite. Demain matin, ils discuteraient de leur avenir.

Diane mit la clef dans la serrure, mais elle n'eut pas à tourner l'interrupteur car l'appartement était éclairé : sa sœur l'attendait. Avant toute chose, elle laissa tomber son sac sur un fauteuil, enleva son manteau et décrocha le téléphone.

— Je sais qu'il est tard, dit-elle à son interlocuteur, mais avez-vous trouvé quelqu'un ?

La réponse affirmative parvint enfin à lui arracher un sourire. Sans même prendre congé, elle raccrocha.

Cinnamon réveilla sa maîtresse à grands coups de langue. En maugréant, Carole s'aperçut qu'il était déjà tard et elle gagna la salle de bains. Lorsqu'elle eut pris sa douche et nourri la chienne, elle enfila un gros pull-over rouge, un pantalon gris et des bottes fourrées. Dans le froid et la neige, la jeune femme arpenta les rues glacées et ventées de Seattle pour faire courir le setter. Puis elle se hâta de regagner son luxueux appartement. Quand elle sortit de l'ascenseur, le téléphone sonnait mais elle ne put avoir la communication.

Au fur et à mesure que la matinée s'écoulait, Nathan reprenait toute la place dans ses pensées et dans son cœur. Par la large baie vitrée, elle devinait vaguement la lointaine silhouette de l'île. Nathan devait s'y trouver... et probablement fou de colère. Tant pis. Il y était en sécurité, c'était là l'essentiel !

Le téléphone sonna à nouveau. Cette fois, elle décrocha vivement et s'installa dans le fauteuil favori de son mari.

— Allô !

— Bonjour, chère Carole ! s'exclama joyeusement Brad Ranner. Depuis quand êtes-vous de retour ?

La déception la fit grimacer.

— Depuis hier soir, pourquoi ?

— Alors, vous n'avez pas entendu les nouvelles ? L'île est privée de téléphone et les ferries ont suspendu leur service. Je vous ai appelée à tout hasard, en me disant que j'avais une chance sur deux de vous joindre ici, si par bonheur vous aviez eu la bonne idée de rentrer plus tôt que prévu.

L'angoisse étreignit Carole. Jamais le service des ferries n'avait été interrompu. Brad sembla deviner sa nervosité.

— Voyons, Carole, c'est sans importance puisque vous voici revenue dans le monde civilisé.

— Brad, j'ai des amis sur l'île et Nathan s'y trouve aussi. Si quelqu'un tombe malade ou...

— Du calme, ma chère ! Les gardes-côtes sont alertés. Il n'y a aucun danger à redouter.

C'était exact. D'autre part, les insulaires étaient à la fois indépendants et solidaires. Changeant de sujet, elle s'informa.

— Quoi de neuf sur le plateau ?

— Tout le monde est excité, Carole. A ce propos, j'ai de grandes nouvelles à vous apprendre. C'est la raison pour laquelle je vous téléphone. Mais j'aimerais bien vous parler de vive voix. Puis-je affronter la tempête et venir vous voir ?

Carole ferma les yeux et respira profondément. Depuis un moment, elle était en train de se demander quand elle trouverait le courage de lui faire part de sa décision.

— Justement, Brad, à propos de ce feuilleton, j'ai...

— Ecoutez, Carole, j'arrive.

Avant qu'elle ait pu protester, Brad Ranner avait raccroché.

Avec un soupir exaspéré, elle gagna la salle de bains pour se maquiller. Pas question d'accueillir Brad avec cette mine défaite, pour l'entendre à nouveau gémir sur sa pâleur.

Après un coup d'œil dans le miroir, Carole dut se rendre à l'évidence. Les cosmétiques la mettaient véritablement en beauté. Ils faisaient ressortir l'émeraude de ses yeux, rehaussaient la pureté de son teint.

Elle poussa un soupir en pensant à Nathan. Où se trouvait-il, à cette minute ? Isolé sur l'île et se demandant sans doute où était passée sa femme ? A moins qu'il ne fût tout simplement entre les bras de Diane Vincent ? Elle refusa de laisser courir son imagination. Elle avait assez de soucis sans s'en créer d'autres !

Elle revint dans le salon et décrocha le téléphone, dans le puéril espoir de pouvoir joindre la Baie de l'Ange. Mais l'opérateur lui confirma les dires de Brad. La tempête avait arraché les fils téléphoniques.

Pour se détendre, Carole joua un instant avec Cinnamon. Puis cette dernière fit entendre un grognement sourd et la porte d'entrée s'ouvrit. Sans doute était-ce la femme de ménage qui venait mettre de l'ordre dans l'appartement.

Carole se retourna et resta interdite.

Les sourcils froncés, Nathan venait de faire irruption dans la pièce. Prévenant la question qu'elle n'allait pas manquer de lui poser, il expliqua :

— J'ai loué un bateau... Et maintenant, puis-je savoir ce que tu fais ici ?

La gorge nouée, Carole essaya de rassembler ses esprits.

— Je... je...

Nathan ôta sa veste de daim et passa une main nerveuse dans ses cheveux.

— Franchement, Carole, à quoi joues-tu ? Sur l'île tout le monde te cherche et s'affole.

Soudain rouge de colère, elle explosa :

— Etait-ce avant ou après la dernière crise de Diane Vincent ?

Nathan se laissa tomber sur une chaise.

— Est-ce à cause d'elle que tu nous as fait ce petit numéro de prestidigitation ?

Carole ne vit aucune raison de mentir.

— Oui. J'ai téléphoné à la Baie de l'Ange et un de tes musiciens m'a dit que tu étais parti à Seattle avec Diane. Je sais que j'ai été stupide, mais...

— Epargne-moi, par pitié ! l'interrompit-il. Je suis épuisé et vraiment, le moment est mal choisi pour discuter de ton comportement étrange, vis-à-vis de Diane.

Etrange ! D'un seul coup, la fureur l'envahit. Comment osait-il la rendre responsable ? Il avait vraiment l'art de retourner la situation en sa faveur !

— Va au diable !

Nathan se leva d'un bond et prit sa femme par les épaules.

— Tu voulais me parler ? Eh bien, je t'écoute !

Il la serrait étroitement contre lui et, en dépit de sa colère, un frisson de bonheur la fit vibrer tout entière. Lui relevant gentiment le menton, Nathan souligna :

— J'ai l'impression que tu n'es pas insensible même... si la rage t'anime encore.

Puis, penchant la tête, il s'empara de ses lèvres. Des gouttes d'eau tombaient de ses cheveux trempés et un parfum d'air marin se dégageait de ses vêtements. D'une voix rauque, Nathan murmura :

— Je te désire, Carole...

Dans un stupide sursaut d'orgueil, la jeune femme protesta.

— Ne me touche pas... et tais-toi.

Ces paroles ne parurent guère affecter son mari, car il resserra son étreinte.

— Ecoute-moi, Carole, ce jeu a suffisamment duré. Je peux te garantir que je n'ai pas passé la nuit dans le lit de Diane Vincent !

Carole s'écarta. Nathan soupira.

— Je sais très bien que j'aurais dû t'appeler tout de suite et t'avertir de mon départ. Vraiment, crois-moi, je suis désolé...

Ses mains se glissèrent sous son pull-over rouge pour caresser sa peau nue. Nathan était là, n'était-ce pas ce qu'elle désirait de tout son être ? Cette lutte lui parut soudain puérile et inutile. Un flot de désir l'inonda et comme il l'emportait dans ses bras vers leur chambre à coucher, la jeune femme ne put s'empêcher de rire. D'une heure à l'autre, la vie réservait vraiment des surprises inattendues et merveilleuses...

Chapitre 8

Bien entendu, ce fut encore la sonnette de la porte d'entrée qui les ramena à la réalité. Enfouissant son visage dans l'épaule de son mari, Carole eut un rire amusé.

— Notre public, dit-elle.

Nathan pesta en enfilant une robe de chambre.

— J'arrive ! cria-t-il à l'importun.

Brad Ranner se garda de tout commentaire en voyant Nathan et Carole surgir de leur chambre. Nathan maugréa qu'il allait enfiler un jean et un polo et Brad surprit la vive rougeur qui empourprait les joues de Carole. Elle resserra autour d'elle les plis du caftan rouge qu'elle avait revêtu à la hâte.

— Carole, commença-t-il, sans préambule, nous devons parler travail. Un projet vraiment fantastique !

Brad était de taille moyenne et trapu. Il faisait surtout preuve d'un dynamisme surprenant. En fait, il conjuguait parfaitement son sens artistique à celui des affaires.

Carole surprit le regard interrogateur que Nathan lui lançait. S'imaginait-il qu'elle attendait son départ pour tomber dans les bras de

Brad Ranner ? Froidement, il déclara, après avoir offert un whisky à leur invité.

— De toute évidence, vous n'avez pas besoin de moi. Alors, à tout à l'heure !

Carole rougit violemment, mais ne fit rien pour le retenir. D'un côté, son départ la soulageait ; de l'autre, elle eût aimé qu'il soit témoin de ce qu'elle comptait dire à Brad. Ce dernier, absorbé dans la contemplation de son verre, murmura sur un ton d'excuse :

— Evidemment, si j'avais su que votre mari était là, je ne serais pas venu.

Carole ne jugea pas utile de répondre. Quant à Cinnamon, après avoir longuement reniflé les bas de pantalon de leur hôte, elle décida de rejoindre son maître.

Brad vint s'asseoir sur le divan aux côtés de Carole et celle-ci rompit enfin le silence.

— Alors, quelles sont donc ces fameuses nouvelles ?

A vrai dire, la jeune femme n'éprouvait aucune curiosité. Elle se demandait surtout comment Brad accepterait sa démission. Il grimaça, but une gorgée de whisky et lança, elliptique et mystérieux.

— L'émission va être achetée par la télévision nationale.

Carole fronça les sourcils.

— Que dites-vous ?

— Vous avez bien entendu. Ils ont accepté de prendre notre feuilleton dans la série du samedi soir. Cela signifie beaucoup d'argent et un public plus large encore.

La jeune femme écarquilla les yeux.

— Là, je ne m'étonne pas ! Brad, vous avez vu ces émissions, je suppose ? Tout le monde y est nu !

Imperceptiblement, le regard de Brad effleura le buste de la jeune femme avant de revenir à son visage.

— Je ne crois pas que vous ayez à vous inquiéter de ce détail. Ma chère, vous pouvez rivaliser avec n'importe qui !

Cette fois, Carole se leva si brusquement que son verre de vin inonda la moquette. Elle explosa :

— Vous imaginez-vous une minute que...! Jamais.

Comme d'habitude, Brad ne se démonta nullement. Avec un flegme admirable, il rétorqua d'un ton égal.

— Du calme, voyons. Il est vrai que ces feuilletons présentent des séquences plus ou moins déshabillées, mais les scénarios sont souvent excellents. C'est votre chance de devenir une grande comédienne.

— Non.

— Pourquoi pas ? Ne songez qu'au côté artistique.

— Au côté artistique ! répéta-t-elle indignée. Vous vous moquez de moi. Et puis...

— Nous y voilà ! l'interrompit Brad, en posant

son verre sur son genou dans un équilibre précaire. Votre mari ne le supporterait pas. C'est ce que vous alliez me dire, n'est-ce pas ?

Carole affronta le regard critique de Brad, et lui répondit avec défi :

— Rectification ! Il s'agit de mon corps, me semble-t-il. N'essayez pas de rendre Nathan responsable de mon refus. Je suis la seule à ne pas vouloir m'exposer nue devant l'Amérique tout entière !

Brad eut un soupir de circonstance.

— Allons ! lança-t-il gaiement. Avouez que vous redoutez l'éventuelle réaction de Nathan !

— Erreur. Ma réponse aurait été la même si j'avais été célibataire.

Cette fois, Brad se leva pour arpenter la pièce. Il s'arrêta devant la baie vitrée avant de se retourner lentement.

— Carole, vous rendez-vous compte des millions de dollars que cela représente ?

— Je m'en moque.

— Pas moi ! Si vous vous retirez, la production sera retardée !

— Eh bien ! Tant pis !

— Carole, réfléchissez !

— Non. N'insistez pas, Brad. C'est non. De toute façon... je n'avais pas l'intention de renouveler mon contrat.

Brad poussa un juron retentissant. Sans ajouter un mot, il saisit son manteau et sortit de la pièce en claquant la porte derrière lui.

Carole se laissa tomber dans le fauteuil de Nathan et croisa les bras sur sa poitrine. Décidément, les émotions se succédaient à un rythme accéléré depuis ce matin ! Quelques minutes plus tard, Nathan vint s'agenouiller devant elle. Il n'en fallut pas davantage pour la faire éclater en sanglots.

— Allons, murmura-t-il, tendrement. Qu'est-ce que ce sinistre personnage a bien pu te raconter ?

Carole secoua la tête, étranglée par les larmes.

— Bien, nous en parlerons plus tard, continua Nathan en caressant doucement ses cheveux. Mais si je revois ce type, une seule fois, il lui faudra s'acheter une nouvelle tête.

Un faible sourire éclaira le visage de la jeune femme. Nathan lui prit le menton et, plongeant son regard dans le sien, il ajouta, tendrement.

— Je crois que nous avions une réunion plus passionnante avant cette malheureuse interruption ?

Et, l'emportant dans ses bras, il la déposa sur le grand lit de leur chambre.

Un rayon de soleil filtrant à travers les persiennes éveilla Carole le lendemain matin. Elle ouvrit les yeux et Cinnamon agita la queue en signe d'impatience. La pauvre bête éprouvait un urgent besoin de sortir.

Prenant garde de ne pas réveiller Nathan, Carole se glissa hors du lit et, après avoir enfilé un pull-over et un jean, elle mit son manteau et sortit. Cinnamon ne tarda pas à bondir sur le palier. Peut-être le service des ferries était-il rétabli ? Il faudrait regagner l'île sans trop tarder. Cet énorme setter finirait pas tout casser dans l'appartement. Cinnamon devait courir et prendre de l'exercice.

Le temps s'était radouci et il faisait si bon que Carole prolongea leur balade. Cinnamon parut apprécier leur longue promenade dans Pike Street.

— Nous regagnerons l'île aujourd'hui même, lui déclara Carole.

Cinnamon émit un bref aboiement. Elle était entièrement d'accord !

Tout à coup, une main se posa sur l'épaule de la jeune femme. Elle se retourna en souriant, pensant avoir à faire à une amie ou une admiratrice... et croisa le regard bleu glacial de Diane Vincent.

Son sourire se figea.

— Hello ! Vous promenez votre chien ?

— De toute évidence, oui.

Diane arborait un blazer sur un chemisier de soie et un pantalon moulant.

— Allons prendre une tasse de café, Carole, insista-t-elle. Il y a si longtemps que nous n'avons bavardé ensemble.

Carole fit un réel effort pour répondre poliment.

— Merci, Diane, mais vraiment je n'ai pas le temps.

Désignant le sac à provisions qu'elle tenait à la main, elle ajouta.

— Nathan va se réveiller mourant de faim. Je dois rapporter le petit déjeuner.

Mais, en réalité, Carole imaginait la une des quotidiens : « La comédienne d'un feuilleton assassine sa rivale. »

— Diane... si vous avez quelque chose à me dire à propos de la nuit dernière, pourquoi ne pas le faire tout de suite ?

Diane eut une moue malicieuse, rejeta en arrière sa superbe chevelure blonde et bouclée, et lança, doucereuse.

— Une autre fois, Carole. Saluez Nathan de ma part, voulez-vous ?

Sur ce, elle tourna les talons et s'éloigna.

Subitement, un sentiment d'amertume submergea Carole. L'expression satisfaite de Diane avait fait renaître ses soupçons.

Chapitre 9

Cette rencontre avait gâché la promenade. Carole marcha encore un peu le long des quais puis Cinnamon elle-même montra des signes d'impatience ; la chienne avait faim et était fatiguée de courir derrière les mouettes. Carole prit donc le chemin du retour.

A quelques mètres de leur immeuble, elle s'arrêta, interdite. Que signifiait cette nuée de photographes autour de la loge du gardien ? Après un instant d'hésitation, la jeune femme rejoignit George tandis que les appareils photographiques cliquetaient de toute part.

— Que se passe-t-il, George ? demanda-t-elle au brave homme qui faisait des efforts pour repousser les journalistes.

— Ils vous ont reconnue, madame O'Connor.

Carole se fraya un passage avec Cinnamon et s'engouffra dans le bureau de réception généralement occupé par une jeune femme que Nathan avait engagée pour surveiller l'immeuble. George vint l'y rejoindre.

— Où est Maggie ? demanda Carole. Et pourquoi la presse se trouve-t-elle ici ?

— Pour M. McKendrick. J'ai envoyé Maggie le prévenir.

Carole décrocha le téléphone intérieur pour appeler son mari, mais ce fut justement la gardienne qui répondit.

— Oui ? lança-t-elle, exaspérée.

— Maggie, ici Carole. Je suis au rez-de-chaussée. Pouvez-vous me passer Nathan, s'il vous plaît ?

— Etes-vous dans mon bureau ? Si oui, pour l'amour du ciel, restez-y ! dit-elle très vite.

Puis Carole l'entendit s'adresser à Nathan, et ce dernier s'empara de l'appareil.

— Carole, écoute-moi, je veux que tu m'attendes dans le bureau de Maggie et que tu n'en bouges pas jusqu'à ce que j'arrive.

L'intonation de sa voix eut le don d'affoler la jeune femme. L'angoisse lui noua l'estomac.

— Mais, enfin, Nathan, que se passe-t-il ? Il y a une horde de journalistes et...

— Je t'expliquerai tout cela dans un instant, l'interrompit-il. Dans l'immédiat, tu ne sors pas de cette pièce.

— Mais...

— Carole !

— Sois plus clair, Nathan !

— Ai-je ou non ta parole ?

Cette fois, Carole eut l'impression de vivre en plein délire.

— Bon, c'est d'accord.

— Parfait !

Il raccrocha brusquement.

Soudain, la porte céda sous la poussée d'un

importun. Carole fut toisée des pieds à la tête par deux petits yeux fouineurs, puis l'homme lança :

— Connaissiez-vous l'existence de votre rivale ? Votre mari avoue-t-il avoir eu une liaison ?

Littéralement assommée par ces paroles, Carole demeura sans voix. Elle n'eut pas le temps de lui faire répéter sa question, car George empoigna le journaliste par les revers de sa veste et le jeta brutalement dehors. La porte fut bruyamment refermée et le gardien s'y adossa.

— Ne prêtez pas attention à ces bêtises, expliqua-t-il. Ce personnage se nourrit probablement de scandales !

Il n'en restait pas moins que les mots de cet homme résonnaient étrangement dans la tête de Carole. George lui servit une tasse d'un café noir et fort. Elle essaya d'en boire une gorgée pour lui faire plaisir, mais c'était décidément trop amer. Au bout d'une dizaine de minutes, la rumeur du dehors s'amplifia, des jurons éclatèrent et Nathan se fit reconnaître derrière le battant. George se précipita pour le faire entrer.

— Essayez de contenir cet essaim de mouches, gémit Carole.

— Promis, répondit le gardien.

Il sortit du bureau. Nathan referma derrière lui. Lorsqu'ils se retrouvèrent seuls, il se tourna vers sa femme. Une sombre lueur de colère brillait dans ses yeux.

— Tu vas bien ? demanda-t-il, anxieux.

Incapable de répondre, Carole inclina la tête. Si Nathan ne se décidait pas tout de suite à lui fournir des explications, elle allait hurler. Au bord de la crise de nerfs, elle constata que son mari était aussi pâle qu'elle. Il saisit un journal posé sur le comptoir et le lui tendit. Les traits crispés, Carole dut s'y prendre à deux fois avant de comprendre le gros titre qui s'étalait en première page. « Le chanteur Nathan McKendrick est assigné en justice pour avoir refusé d'assumer sa paternité. »

Carole ferma les yeux. Les paroles du journaliste firent une sarabande dans sa tête. Elle se sentit proche de l'évanouissement.

— Carole...

La voix rauque de Nathan la tira du brouillard. La jeune femme tenta de rassembler ses idées... Son regard se fixa de nouveau sur le numéro que Nathan tenait à la main. Ce n'était pas un journal à scandales, mais un important quotidien. Elle releva les yeux.

— De qui s'agit-il ? demanda-t-elle d'une voix blanche.

Il se raidit comme sous l'effet d'une paire de gifles.

— Je l'ignore.

— Que veux-tu dire ? cria-t-elle, d'une voix excédée.

Nathan jeta le journal sur la table et enfonça ses mains dans ses poches. Le brouhaha des journalistes s'accentua derrière la porte comme une meute guettant la curée. Carole insista :

— Nathan, vas-tu te décider à parler, oui ou non ?

Se sentant insulté par le ton accusateur de sa femme, Nathan ramassa rageusement le journal et, le fourrant sous son nez, vociféra littéralement.

— Lis et tu en sauras autant que moi !

Elle rassembla son courage, pour parcourir l'article. Il y avait d'abord une photo de son mari entouré de ses fans, des filles ravissantes et peu vêtues. Un bras autour des épaules de l'une d'elles, Nathan se penchait sur la voluptueuse créature avec un sourire charmeur. Le texte était parfaitement explicite...

« Agée de dix-huit ans, Renée Parker, native de Eagle Falls dans l'Etat de Washington, a assigné le chanteur Nathan McKendrick devant la cour pour refus d'assumer sa paternité. La jeune fille révèle la liaison qu'ils auraient entretenue depuis quelque temps et... »

Carole releva la tête, incapable d'en lire davantage. Un gémissement lui échappa. Nathan croisa ses bras sur sa poitrine.

— Continue, veux-tu, ordonna-t-il.

Elle secoua la tête.

— Je ne peux pas.

— La fin est pourtant fort intéressante : « M. McKendrick se refuse à tout commentaire, confirme son agent de presse, Diane Vincent. » Carole, cela ne t'éclaire pas ?

Au-dehors, les rumeurs des journalistes allaient crescendo. De toute évidence, George se montrait impuissant à contenir la presse déchaînée.

— Dix-huit ans, murmura Carole, comme si les paroles de Nathan n'étaient pas parvenues jusqu'à ses oreilles. Mon Dieu, elle n'a que dix-huit ans, Nathan...

Cette fois, le visage de son mari vira au rouge brique.

— Ne me dis pas que tu crois ces absurdités.

Il fut interrompu par un coup frappé à la porte ; la voix de Pat se fit entendre :

— Nathan ! Carole ! Laissez-moi entrer.

Nathan interrogea sa femme du regard, puis fit pénétrer sa sœur dans le bureau. Après un coup d'œil affectueux à son frère, Pat se tourna vers Carole.

— J'ai lu les nouvelles ce matin, au petit déjeuner. Ecoute, Nathan, je viens de parlementer avec les journalistes. Ils sont prêts à laisser Carole en paix à condition que tu acceptes de répondre à quelques questions. Sinon, je le crains, ils resteront là jusqu'aux prochaines élections !

Une lueur de colère traversa les yeux sombres de Nathan.

— Très bien ! Mieux vaut ce compromis.

Pat entraîna sa belle-sœur et l'infortunée Cinnamon hors de cet enfer. Les deux femmes s'installèrent dans la Mustang jaune de Pat et roulèrent en silence dans les rues de Seattle. Pat conduisait rapidement, les mains crispées sur le volant, le visage pâle, les traits tirés. Finalement, elle hasarda :

— J'espère que tu sais que cet article est diffamatoire ?

Une calomnie. Sans doute Carole aurait-elle dû en rire. Elle n'en fit rien et, d'une voix blanche, elle souligna.

— Malheureusement, Pat, ce journal n'est pas un torchon. Il est suffisamment crédible et respectable pour influencer les gens.

La jeune fille laissa échapper un fort inélégant juron et s'étonna :

— Ne me dis pas que tu crois à cette salade ?

Carole fixa le pare-brise d'un regard vide. Dans l'immédiat, elle se trouvait en état de choc, incapable de porter un jugement sur son mari. Nathan était-il coupable ou innocent ?

— Je ne sais pas... balbutia-t-elle.

Un silence pesant s'ensuivit. Puis Pat reprit plus doucement.

— Veux-tu retourner sur l'île maintenant, Carole ? Je peux te conduire chez Lucy ou Kate, si tu préfères... ?

Carole secoua la tête. L'île avait toujours été un merveilleux refuge, mais cette fois-ci Carole se sentait incapable de réfléchir calmement dans un endroit où Nathan et elle avaient vécu.

— Accorde-moi une faveur, Pat.

— Oui, laquelle ?

— Rends-moi le service d'emmener Cinnamon sur l'île et de la confier à Lucy.

— Oui, mais toi ? Que vas-tu devenir ? Nathan va être très occupé durant tout le temps où il devra régler ce problème et tu vas te sentir seule...

— Tu m'as mal comprise, Pat, murmura-t-elle en levant vers sa belle-sœur un regard implorant. J'ai besoin de me retrouver loin de Nathan pour faire le point. Voudras-tu le lui expliquer ?

— Ce n'est pas une solution, Carole. De plus, ce n'est vraiment pas le moment de le laisser tomber.

— Trois jours. Rien que trois jours.

Les clairs yeux bleus de Pat se posèrent sur elle et la jeune fille poussa un soupir résigné.

— Très bien, Carole. Toutefois, je ne peux pas te promettre de lui faire accepter ton point de vue.

Une demi-heure plus tard, Carole s'installait dans l'appartement de Pat, pendant que la jeune fille allait conduire la chienne sur l'île. Sans la turbulente présence du setter, Carole essaya de remettre de l'ordre dans ses idées. Elle s'approcha de la fenêtre pour contempler le lac de Washington, puis avec un soupir, décrocha le téléphone pour prévenir Lucy. Son amie avait très certainement appris la nouvelle par la presse, mais pleine de tact, elle se garda bien de lui poser des questions.

La jeune femme se laissa tomba dans le sofa, les yeux mi-clos, aspirant à la paix et au repos.

La sonnerie du téléphone la fit sursauter. Elle hésita, craignant de tomber sur un journaliste indiscret ou bien sur Nathan. Elle ne souhaitait pas parler à son mari. Mais, d'autre part, se trouvant dans l'appartement de sa belle-sœur, il eût été inélégant de ne pas décrocher l'appareil.

Elle faillit le reposer brutalement en reconnaissant la voix de Nathan.

— Ma chérie, ça va... ?

Je ne peux vraiment pas aller mieux ! se dit-elle... Serrant les dents, elle bredouilla, sarcastique.

— Je me sens merveilleusement bien. Et toi ?

— Je ne crois pas que le moment soit bien choisi pour faire de l'esprit, mon amour. Je sais parfaitement ce que tu ressens.

— Dans ce cas, Nathan, tu dois savoir aussi que j'ai besoin de temps et d'espace !

— Je ne suis pas le père de cet enfant, Carole.

Des larmes se mirent à couler sur les joues de la jeune femme et elle fut heureuse que Nathan ne puisse pas la voir pleurer. Elle aurait tant voulu le croire ! Mais quel risque ! Pour apprendre plus tard qu'il avait peut-être menti ?

— Ecoute, Nathan, ne dis plus rien. Pas maintenant... Je suis trop fatiguée et trop perturbée...

— Très bien, Carole, soupira-t-il. N'oublie pas que je t'aime et que je n'abuse jamais de ceux qui croient en moi.

— Je t'appellerai dans quelques jours, Nathan, c'est promis.

— Tu n'as besoin de rien ?

— Si, de ma voiture. Peux-tu demander à George de la conduire jusqu'ici ?

— Bien sûr.

Elle lui fut reconnaissante de ne pas avoir proposé de le faire lui-même.

— Prends bien soin de toi, ajouta-t-il, tendrement.

— C'est promis.

Elle raccrocha.

Une demi-heure plus tard, George vint lui apporter sa voiture. Il lui remit les clefs sans ajouter le moindre commentaire. Ensuite, Carole prit un bain pour se détendre, et elle se reposait sur le sofa du salon quand Pat revint avec une valise contenant ses vêtements.

— J'arrive de l'appartement, lui précisa Pat. As-tu des nouvelles de Nathan ?

Carole acquiesça, brusquement honteuse d'abandonner son mari au moment où il avait besoin d'elle plus que jamais. Mais, après tout, n'était-il pas responsable ? Dans les yeux bleus de sa belle-sœur, elle put lire une sorte de reproche.

— Il était dans un triste état quand je l'ai quitté, tout à l'heure ! ajouta Pat.

Les pensées se bousculèrent dans la tête de Carole. Il y avait mille façons d'interpréter ces paroles. Nathan était-il effondré pour s'être compromis ? Ou bien était-il victime d'une machination ?

— Ne peux-tu être plus précise, Pat ?

Le regard sombre, Pat enleva son manteau.

— Si tu veux tout savoir, il avait bu... Enfin, Carole, comment peux-tu l'accuser d'un acte qu'il n'a pas commis ? C'est mon frère et je l'aime ! Je ne peux pas accepter ce qui lui arrive.

Carole tressaillit. Nathan, ivre ? Jamais, elle ne l'avait vu boire plus que de raison depuis qu'ils étaient mariés et elle avait du mal à l'imaginer dans cet état.

— Pat, protesta-t-elle, tu es injuste ! Je ne cherche nullement à blesser Nathan.

Rapidement, Pat se reprit et serra affectueusement la main de sa belle-sœur.

— Je sais, Carole, je sais. Mais, vois-tu...

— Je comprends. Es-tu sûre qu'il était... ivre ?

Un souvenir lui revint en mémoire. Sur l'île, en évoquant Noël, n'avait-il pas dit : « J'ai beaucoup bu » ?

Pat eut un rire amer.

— Il tenait à peine debout.

— Se trouvait-il seul ?

De nouveau sur la défensive, la jeune fille leva sur elle un regard indigné.

— Insinuerais-tu qu'il batifolait avec Renée Parker ? Eh bien, non ! Il était seul !

— Il ne devrait pas l'être.

Une lueur d'espoir traversa le regard de Pat.

— Tu vas aller le retrouver, alors ?

Carole secoua la tête.

— Je ne peux pas... Pas encore. Mais il ne doit pas rester en tête à tête avec lui-même. Alex Demming est son meilleur ami et je vais l'appeler.

— Ce n'est pas la peine, je demanderai à Roger d'aller le voir. Je vais même lui téléphoner tout de suite.

Le désappointement perçait dans sa voix. Carole fixa honteusement le bout de ses pieds, se demandant si après tout, elle ne faisait pas preuve d'un féroce égoïsme. Visiblement, Nathan aurait eu besoin de sa présence et de son réconfort. Elle s'efforça de ne pas écouter la conversation entre Pat et son ami, mais elle poussa un soupir de soulagement lorsqu'elle apprit que Roger se rendrait à l'appartement.

La nuit lui parut interminable. Elle dormit mal. Sa décision était pourtant prise. Il lui était impossible de croire à son innocence sans vérifier. Certes, elle l'aimait, mais son orgueil était profondément blessé. Lorsque l'aube se leva, Carole sortit de la chambre d'amis et relut une dernière fois l'article calomniateur.

Ensuite, elle quitta doucement l'appartement et s'installa au volant de sa voiture.

La jeune fille s'appelait Renée Parker et elle vivait à Eagle Falls, une petite ville située à une heure de Seattle. Jadis, Carole s'y était rendue en compagnie de ses parents...

A présent, elle y retournait.

Chapitre 10

En gémissant, Nathan se laissa rouler à bas de son lit. Ses nausées l'avaient épuisé et il avait une épouvantable migraine. Il jura.

Sur le seuil de la porte, Roger Carstairs, l'ami de Pat, contempla le spectacle d'un œil critique. Il tenait un plateau à la main.

— Un petit déjeuner ? demanda-t-il, avec une lueur malicieuse au fond des yeux.

Nathan bâilla en massant son crâne douloureux.

— J'ai beaucoup bu la nuit dernière ?

— Beaucoup est un faible mot si j'en juge par les bouteilles que j'ai trouvées à la cuisine !

La sonnerie stridente du téléphone vrilla les tempes de Nathan qui décrocha l'appareil rageusement. Si par malheur, il s'agissait d'un journaliste, il...

— Oh ! c'est toi, Pat...

— Nathan, Carole se trouve-t-elle avec toi ?

— Non, dit-il les mâchoires crispées.

— Elle n'est pas passée à l'appartement ?

— Non, répéta-t-il. Mon adorable épouse n'est pas ici pour soulager mon mal de tête. As-tu téléphoné à la Baie de l'Ange ou ailleurs, sur l'île ?

— Oui. J'ai appelé Lucy et Alex, tous les amis, mais personne ne l'a vue.

En vain, Nathan s'efforça de chercher en lui quelque trace de colère. Il était beaucoup trop désemparé. De toute évidence, Carole avait été profondément blessée par cette calomnie. Peut-être même l'avait-elle quitté pour toujours... ?

— Elle n'a vraiment rien dit ? Essaye de te rappeler.

— Elle n'a pas beaucoup parlé, Nathan. Mais ses vêtements sont toujours chez moi, si cela peut te rassurer.

Non. Ce détail n'avait rien de réconfortant puisque Carole avait une carte de crédit et pouvait acheter ailleurs ce dont elle avait besoin. Nathan rejeta ses couvertures et se leva, tenant toujours l'appareil coincé contre son épaule et sa joue ; il tâtonna à la recherche de son jean.

— Qu'elle aille au diable si elle m'a abandonné ! explosa-t-il. Elle m'avait promis...

— Attends ! Je crois savoir où elle peut être ! s'exclama soudain sa sœur.

— Pat ! Epargne-moi le suspense dramatique. Vite, où ?

— Eagle Falls.

— Quoi ?

— Cette petite ville où tu es supposé avoir caché tes amours. Eagle Falls. Carole a dû y aller.

Sa migraine empira brusquement.

— Quelle stupide hypothèse ! Que pourrait-elle y trouver ?

— Calme-toi, Nathan. Si j'étais à sa place, c'est exactement ce que j'aurais fait. Sois un peu réaliste, veux-tu ? T'imagines-tu qu'elle va se contenter de pleurer en gardant sur elle une photo de toi ?

Nathan tenait l'appareil en équilibre précaire : il cherchait ses chaussettes.

— Au nom de notre affection, ma chère petite sœur, je ne répondrai pas à cette question. D'ailleurs, je m'en sens incapable dans l'état où je me trouve...

— Parfait. Que décidons-nous alors ?

Nathan se laissa tomber sur le lit, abandonnant ses efforts désespérés pour s'habiller. La colère le submergea.

— Après tout, elle me croit coupable, non ? Que puis-je faire ? Elle est persuadée que j'ai eu une aventure avec cette gamine ! Très bien ! Je n'y peux rien !

— Nathan...

— Que le diable l'emporte ! Puisqu'il lui faut des preuves...

— Ça suffit, Nathan. J'aimerais assez savoir quelle aurait été ta réaction si tu avais été à sa place. Tu aurais vu les choses sous un autre angle, il me semble !

Nathan reposa brutalement le combiné sur la table et se dirigea vers la salle de bains. Pat criait si fort que son discours pouvait s'entendre d'un bout à l'autre de l'appartement. Roger prit l'appareil pour tenter de calmer son amie alors que Nathan était déjà sous la douche.

Eagle Falls parut à Carole plus petit que dans ses souvenirs. En fait, le village comportait un poste à essence, un café et un supermarché. Des logements ouvriers s'éparpillaient sur la colline. Une église en bois et une école minuscule se dressaient sur la place.

A en croire l'article de presse, Renée Parker était serveuse dans un bar. Aussi Carole se dirigea-t-elle vers le café où elle apprit que la jeune fille ne travaillait plus. On lui indiqua la maison où elle vivait actuellement.

Carole remercia poliment et s'éclipsa. Qu'allait-elle bien pouvoir dire à Renée lorsqu'elles se trouveraient face à face ?

Des larmes de colère lui brûlèrent les yeux. Pendant quelques minutes, elle fut sur le point de regagner sa voiture et de repartir. Non ! Aussi ridicule que fût cette démarche, Carole devait en avoir le cœur net. Un seul regard suffirait à lui révéler si Nathan avait pu ou non séduire la jeune fille.

Lorsqu'elle arrêta son auto devant la modeste maison de Renée Parker, Carole décida de se faire passer pour une représentante. Elle frappa à la porte avec une assurance qu'elle était loin de ressentir. L'écho assourdi d'une chanson de Nathan résonnait dans la pièce et à cet instant précis, inexplicablement, Carole eut la certitude que Nathan n'était pas coupable. Soudain, le battant s'ouvrit et une jolie fille apparut.

Carole reconnut immédiatement Renée Parker. Elle correspondait tout à fait à la photo reproduite dans le journal. Toutefois, elle avait beau être ravissante et sûrement enceinte, Renée Parker était bien trop jeune pour avoir attiré l'attention de Nathan.

Renée pâlit brusquement et, écarquillant les yeux, s'écria naïvement :

— Maman ! Tracy Ballard est là... !

Cette fois, Carole ne put s'empêcher de rire. Décidément, le rôle qu'elle tenait dans le feuilleton lui collait à la peau. Mais elle se reprit pour déclarer dignement.

— Je ne suis pas Tracy Ballard, mais Mme Nathan McKendrick.

Cette brusque révélation fit à la jeune fille l'effet d'un coup de poing.

— Oh !

— Oui. Pouvons-nous discuter, Renée ?

Cette dernière roula des yeux effarés.

— Je n'ai pas l'intention de retirer un seul mot de ce que j'ai dit ! s'écria-t-elle, nerveusement.

Carole fit un pas en avant, n'ayant aucune idée de ce qu'elle allait dire si Renée maintenait sa déclaration. Peut-être allait-elle lui fermer la porte au nez ? Le sang-froid de sa visiteuse impressionna fortement Renée qui se contenta de répéter d'une voix aiguë :

— J'attends un enfant de votre mari ! C'est la stricte vérité !

— Renée, vous savez aussi bien que moi que c'est faux. Qui vous paye pour intenter ce procès ?

— Personne ! Nathan est amoureux de moi ! Il...

— Je vois. Néanmoins, il faut que vous sachiez que mon mari va contester cette accusation. Son avocat vous fera comparaître devant la cour, et il vous sera plus difficile d'y mentir. Vous allez être accusée de diffamation et vous risquez tout simplement la prison.

— La... prison ?

— La prison, répéta Carole, tout en éprouvant un sentiment de pitié. Qui vous a compromise dans cette histoire ?

— Personne ! Personne !

— Très bien. Dans ce cas, je vous reverrai à l'audience. Au revoir !

Sur ce, Carole tourna les talons et se dirigea calmement vers sa voiture. Comme elle mettait le contact, le visage de Renée, décomposé par la peur, apparut à la portière.

— Pourrions-nous... parler une minute ? Voulez-vous attendre ? bégaya la jeune fille.

Carole s'efforça de cacher sa satisfaction. Hochant pensivement la tête, elle murmura.

— Je pensais que vous m'aviez tout dit.

— Ecoutez... attendez-moi ici un instant. S'il vous plaît.

— Très bien.

Renée s'engouffra à l'intérieur de la maison et Carole commença à s'interroger sur les suites de l'aventure. Qu'adviendrait-il si Renée Parker apprenait que Nathan n'avait pas encore désigné ses avocats ? Deux secondes plus tard, Renée revenait en tenant dans sa main la couverture d'un programme de télévision. Visiblement, il avait été décroché d'un mur ! Carole se mordit les lèvres.

— Eh bien ? demanda-t-elle, en levant les yeux vers la jeune fille.

— Voulez-vous me donner un autographe ? Je vous en prie... vous écrivez : « Pour Renée, de la part de Tracy. »

Pendant un instant, Carole eut l'impression de rêver.

Elle n'en croyait pas ses oreilles. Cette fille faisait tout pour briser son ménage et voilà que maintenant elle lui demandait un autographe !

— Vous n'avez pas l'impression de vous moquer de moi ?

Renée sembla blessée.

— Je ne manque pas un seul épisode de votre feuilleton !

Carole prit une profonde inspiration, chercha un stylo dans son sac, prit le journal de Renée.

— Ecoutez-moi bien, Renée. Je vais écrire mon numéro de téléphone sur ce magazine. Quand vous déciderez de me dire toute la vérité sur ce bébé, vous m'appelez.

— Vous... comptez-vous quitter Nathan ?

Carole leva la tête et plongea son regard dans celui de la jeune fille.

— Sachez que je l'aime et qu'il m'aime.

Une larme brilla dans les yeux de Renée. Carole lui rendit le journal portant sa signature et son numéro de téléphone.

— Je... Je n'avais pas l'intention... C'était beaucoup d'argent... bégaya Renée, éperdue.

La gorge de Carole se noua. Incapable de prononcer le moindre mot, elle dévisagea longuement Renée dont les lèvres se mirent à trembler.

— Je... il est possible que je vous appelle bientôt, d'accord ?

— D'accord.

Renée jeta un regard extasié sur le magazine et bredouilla encore.

— Oh ! Ciel ! Attendez que je montre ça à maman...

Carole eut la tentation de lui offrir un chèque supérieur à celui qu'elle avait reçu pour mentir mais elle y renonça et, calmement, mit son moteur en marche.

En arrivant à la station d'essence, elle se précipita dans les toilettes ; la tension nerveuse lui avait noué l'estomac, elle se sentait faible. Après avoir aspergé son visage à l'eau froide, elle regagna sa voiture. Heureusement qu'elle n'avait pas proposé d'argent à Renée ! Nathan aurait été accusé d'avoir acheté le silence de la jeune fille et, plus que jamais, il serait soupçonné d'être le père de l'enfant.

Décidément, elle agissait dans un état de panique. Nathan avait tenté de s'expliquer et elle avait refusé de l'écouter. Pourtant, il avait souligné les derniers mots de l'article ? « M. McKendrick se refuse à tout commentaire, confirme son agent de presse, Diane Vincent. »

Les paroles de Nathan lui revinrent en mémoire : « Carole, cela ne t'éclaire pas ? » Comment avait-elle pu être assez folle pour ne pas le croire ? C'était pourtant l'évidence même. N'importe qui avait pu corrompre une jeune fille aussi naïve et puérile que Renée Parker ! Au lieu d'écouter Nathan, Carole avait préféré aggraver les choses en faisant cette stupide enquête.

Tout au long du trajet de retour, Carole s'adressa des reproches. En arrivant devant l'immeuble, elle prit à peine le temps de garer sa voiture, passa en courant devant la loge de George et s'engouffra dans l'ascenseur. Ses mains tremblaient lorsqu'elle tourna la clef dans la serrure.

Mais, avant même d'ouvrir la porte, elle savait que Nathan n'était plus là.

Nathan arpentait le salon de la Baie de l'Ange, tout en jetant des regards furibonds sur le téléphone. Pourquoi Carole n'appelait-elle pas ? Où était-elle ? Que pensait-elle à cette seconde ? Quelle réception Renée Parker lui avait-elle réservée ? Peut-être, au retour, bouleversée par quelque scène sordide Carole avait-elle eu un accident de voiture ?

Enfin, la sonnerie de l'appareil l'arracha à ses sombres pensées.

— Elle est revenue, déclara Pat d'un ton égal. Je viens de lui parler. Et toi ?

Les doigts de Nathan se crispèrent sur le combiné.

— Carole savait où me joindre.

— Nathan, je t'en prie ! Appelle ta femme tout de suite !

— Non ! Carole voulait réfléchir, qu'elle le fasse ! Moi aussi, j'ai besoin d'un peu de calme.

— Pour faire quoi ? ironisa Pat.

— Pour y voir clair.

— Explique-moi...

— Je ne sais pas encore si je peux continuer à vivre auprès d'une femme qui a si peu d'estime pour moi !

— Nathan ! As-tu perdu toute raison ? Enfin, quoi, l'aimes-tu ou non ?

— Tu sais très bien que oui !

— Alors, montre-le-lui.

— Il se trouve que je n'en ai plus la force.

— Pauvre petit garçon, ironisa Pat. Tu devrais essayer de grandir un peu, Nathan.

Pat raccrocha sans douceur et Nathan resta éberlué. Tout compte fait, sa sœur avait raison. Il reposa l'appareil et, dix minutes plus tard, il était en route vers le ferry.

Carole avala coup sur coup deux verres de vin pour se donner du courage. Puis, décrochant le téléphone, elle composa enfin le numéro de la Baie de l'Ange. Elle laissa sonner une dizaine de fois avant d'être convaincue que Nathan ne s'y trouvait pas. Mme Jeffries n'y était pas davantage. Carole appela alors sa propre maison sur l'île, sans plus de succès. Les larmes coulèrent sur son visage. Si elle ne pouvait parler à personne, elle allait mourir ! L'angoisse l'étreignit. De nouveau, la jeune femme se glissa derrière le bar pour emplir un autre verre. A cet instant, la porte de l'entrée claqua et son cœur s'emballa.

Fronçant les sourcils, Nathan traversa le salon et, d'un geste autoritaire, lui enleva le verre.

— Crois-en ma propre expérience, ce n'est pas cela qui va résoudre tes problèmes.

Carole secoua la tête. Cherchant ses mots, elle balbutia.

— Je... Je l'ai vue hier... Je veux parler de Renée...

Les bras croisés sur sa poitrine, Nathan la toisait avec une expression butée qui la paralysait.

— Je... je suis désolée.

Elle leva les yeux sur lui. Il n'y avait aucune trace d'amour dans le regard de son mari.

— Vraiment ? Alors, quoi de neuf à Eagle River ?

— Eagle Falls, rectifia-t-elle, les yeux baissés.

Elle reprit, timidement.

— Après avoir prétendu que son enfant était de toi, elle a insinué que quelqu'un l'avait payée pour mentir.

— Bref, un tissu de contradictions !

Les larmes se mirent à couler de plus belle sur les joues de la jeune femme ; elle continua, à mots hachés :

— Mais tout est... contradictoire en elle... Me croiras-tu si... si je te dis qu'elle m'a demandé un autographe ?

Cette fois, Nathan posa ses mains sur ses épaules et ses lèvres effleurèrent ses cheveux.

— Le lui as-tu donné ?

La bouche de Carole se mit à trembler puis, d'un seul coup, elle céda à la crise de nerfs. Nathan l'attira dans un fauteuil, caressant ses mains et essayant de la calmer... Ils parlèrent une bonne partie de la nuit.

— Nous sommes en plein orage, toi et moi, lui dit-il lentement.

— Je sais...

Nathan avait raison. Renée Parker n'avait été que la goutte faisant déborder le vase. Leur problème était ailleurs... Aussi, lorsque l'aube se leva, tous deux avaient-ils déjà pris la décision qui s'imposait. Se séparer.

Chapitre 11

Le trajet sur l'île s'effectua sans encombre. Peu de journalistes les attendaient et, cette fois-ci, Carole sut garder la tête haute. Nathan murmura sans la regarder.

— Je t'aime toujours.

— Moi aussi.

— Alors, quelle folie sommes-nous en train de commettre ?

Carole ne répondit pas. Tout dialogue semblait devenu impossible entre eux et elle n'en comprenait pas la raison. Evitant son regard, il ajouta encore.

— Puis-je entrer un instant dans la maison ?

Carole inclina silencieusement la tête, la gorge nouée. Le silence retomba. Nathan arrêta la voiture devant la villa et en passant devant leur chambre, il jeta un bref coup d'œil sur sa femme. Par bonheur, ils durent s'affairer pour rouvrir les pièces, allumer le feu, autant d'occupations qui balayèrent leur angoisse. Tandis qu'elle défaisait ses valises, Carole entendit Nathan mettre de l'ordre dans le salon : il défaisait le sapin de Noël.

Un instant plus tard, elle alla préparer du café dans la cuisine. Le cœur brisé, elle le vit entrer et déposer sur le buffet les cadeaux qu'il lui avait offerts. Pour rompre ce silence pénible, elle remarqua brusquement.

— Pourquoi Diane Vincent a-t-elle lancé sur toi cette meute de journalistes ?

Nathan s'avança vers le fourneau et se versa une tasse de café.

— J'ai laissé tomber Diane Vincent.

Carole ferma les yeux et de nouveau ne trouva rien à dire.

— Oh !

— Comment ? Pas de cris de joie ? reprit-il avec amertume.

— Ce que tu fais de tes collaborateurs ne me regarde pas.

Il vint s'asseoir en face d'elle et la foudroya du regard.

— Combien de temps ce sujet continuera-t-il à alimenter nos conversations, Carole ?

— Quel sujet ?

Il s'appuya au dossier de sa chaise et, subitement, une grande lassitude se peignit sur son visage.

— Carole, je n'ai pas renvoyé Diane pour les raisons que tu crois. Il se trouve que je n'ai plus besoin d'elle.

— Pourrais-tu être plus explicite ?

Il eut un soupir exaspéré.

— Il est difficile de te faire entendre quoi que ce soit ! Tu prends tout de travers ! Sache que si je me passe de ses services, c'est que je n'ai plus besoin d'une attachée de presse. Je me retire, Carole !

— Comment ? bégaya-t-elle, incrécule.

Elle repoussa sa tasse et le regarda, éberluée.

— Pourquoi ne me l'as-tu pas dit avant, Nathan ?

— Si tu n'avais pas brusquement disparu, peut-être en aurais-je eu l'occasion ?

Carole se mordit les lèvres. Effectivement, Nathan avait insisté plusieurs fois sur cette discussion qu'il désirait avoir avec elle.

— N'es-tu pas un peu jeune pour te retirer ?

— Pourquoi ne le ferais-je pas ? Nous avons bien assez d'argent.

Si la situation n'avait pas été aussi dramatique, Carole aurait éclaté de rire. Bien avant leur mariage, Nathan était déjà riche et l'argent n'avait jamais été son but.

— Que vas-tu faire de ton temps libre ? continua-t-elle.

De nouveau, il dut s'imaginer qu'elle conservait des soupçons ; fronçant les sourcils, il se pencha par-dessus la table.

— Carole, je ne suis pas le père de cet enfant.

Elle le savait. La confrontation avec Renée l'en avait convaincue.

— Carole...

Elle soutint son regard.

— Dans l'hypothèse, murmura-t-elle, où quelqu'un aurait soudoyé Renée pour faire cette déclaration...

— Dans l'hypothèse ? l'interrompit-il, indigné. Mais, Renée a elle-même avoué avoir reçu un chèque ! Et qui a pu le lui donner sinon Diane Vincent ?

— Peut-être Renée a-t-elle été simplement menacée ?

— Ecoute, Carole, une chose est sûre : le bébé n'est pas de moi !

— Evidemment ! lança-t-elle, légèrement.

Son ton désinvolte eut le don d'horripiler Nathan.

— Mon Dieu ! Tu persistes à ne pas me croire, n'est-ce pas ?

En effet, l'incertitude envahissait Carole. Ne s'acharnait-elle pas à le croire innocent dans le but de se conforter ? Elle aurait tellement souffert de son infidélité !

— Nous avons été si souvent séparés, Nathan. Des femmes se sont offertes à toi, je suppose, et il aurait fallu que tu sois un surhomme pour...

Nathan l'interrompit brutalement. Contournant la table, il lui prit le visage dans ses mains et, plongeant son regard dans le sien, s'écria :

— Combien de fois faudra-t-il vous le répéter, madame O'Connor ? J'aime ma femme et je n'en ai jamais séduit une autre.

— Oh ! cesse de crier, Nathan !

— Si j'étais aussi dur que tu le crois, je me moquerais de toi.

La lâchant brusquement, il se détourna, s'éloigna et claqua la porte derrière lui. Carole cacha son visage dans ses bras et se mit à pleurer.

Le lendemain matin, impatiente de prendre des nouvelles de son amie, Lucy fit irruption dans la cuisine. Un seul coup d'œil lui révéla que Carole n'était pas au meilleur de sa forme.

— Qu'est-ce qui ne va pas, chérie ?

— Je ne sais plus...

— Que veux-tu dire ?

— Tu as lu cet article, n'est-ce pas ?

Lucy acquiesça et ajouta chaleureusement.

— Ce n'est qu'un tissu de mensonges !

Plus consciente que jamais de s'être conduite stupidement, Carole avoua :

— Le pire, c'est que je le savais au fond de moi. Mais il m'a fallu vérifier ! Je me suis rendue à Eagle Falls pour parler avec cette gosse.

Lucy soupira.

— Peut-être aurais-je fait de même, Carole. Mais je suppose que Nathan en a été bouleversé ?

— Il a vu là un manque de confiance.

— Et... maintenant ?

— Il nous est impossible de discuter calmement ! Moi-même, je ne parviens pas à lui affirmer que je crois en lui... J'ai été trop secouée.

— Tu l'aimes ?

Carole inclina la tête. Un mot de plus et elle allait de nouveau éclater en sanglots.

— Tu sais ce que je pense ? continua Lucy. La vérité est que tu t'accroches à tes souvenirs de jeunesse. Voilà six ans que tu es mariée et tu t'obstines encore à vivre ici dans la petite maison de tes parents. Combien de fois as-tu mis les pieds à la Baie de l'Ange ?

— C'est un mensonge ! protesta violemment Carole, tremblante de colère.

— Non, continua son amie. Jusqu'à ton nom de jeune fille que tu as pieusement conservé en souvenir de tes parents...

— Tais-toi !

Lucy la dévisagea calmement.

— Tes parents ne sont plus là, Carole. Tu dois regarder vers l'avenir et non en arrière, comme tu ne cesses de le faire.

Incapable de retenir ses larmes, Carole souhaitait fuir, ne plus entendre ces critiques qui n'étaient que trop vraies.

— Comment oses-tu... me... me dire de telles choses ?

Lucy la saisit par les épaules et la força à la regarder dans les yeux.

— Il faut que tu grandisses, Carole, et que tu te battes pour Nathan.

— Ça ne servirait à rien, gémit la jeune femme en secouant la tête. Nous avons décidé de nous séparer et de vivre chacun de notre côté pendant un certain temps...

— Vous avez déjà suffisamment vécu ainsi ! C'est ridicule. Va le trouver et avoue-lui tes sentiments.

Tout au fond d'elle-même, Carole savait que

Lucy avait raison. Mais sans doute y a-t-il des moments dans la vie où l'on ne peut ni admettre l'évidence, ni faire le plus simple des gestes... Elle préférait rester seule plutôt que de céder !

Nathan se tenait devant la baie vitrée de la Baie de l'Ange. Les musiciens étaient partis. La femme de ménage le fit sursauter.

— Qu'y a-t-il, madame Jeffries ?

— Il y a un homme à la porte qui demande à vous voir.

— Qui ?

Mme Jeffries tenait une cafetière à la main et, devant l'air furieux de Nathan, resta plantée au milieu de la pièce.

— Je crois que c'est un huissier, avança-t-elle.

Nathan eut un soupir exaspéré.

— Voyez ce qu'il veut et posez cela sur la table, vous allez finir par vous brûler !

Décidément, le scandale avait bouleversé l'existence paisible de l'île. Nathan était si épuisé qu'il n'avait vraiment pas besoin de visiteurs. Lorsque Mme Jeffries eut tourné les talons, il passa une main tremblante sur son visage fatigué.

Un instant plus tard, un fonctionnaire entra dans le salon.

— Monsieur Nathan McKendrick ?

Irrité, Nathan tendit la main. L'homme lui remit un document plié en quatre.

Lorsque Lucy fut partie, Carole fit une longue promenade sur la plage en compagnie de Cinnamon. Comme elle regagnait la maison, le téléphone sonna et, le cœur battant, la jeune femme se précipita sur l'appareil. Un amer désappointement l'envahit en reconnaissant la voix de Brad Ranner.

— Alors, comment se passe votre retraite ? demanda-t-il gaiement.

— Bien...

— Je voulais vous présenter mes excuses pour cette scène de l'autre jour, Carole. Vous me pardonnez ?

— Oui, Brad. Mais je n'ai pas changé d'avis et je quitte le tournage.

La voix de Brad se fit aussi douce que le miel.

— Même après l'escapade de Nathan ? Là, vous me surprenez.

Carole ferma les yeux et, refoulant sa peine, souligna d'un ton calme.

— Mon cher Brad, mon mari aurait-il fait des enfants à une centaine d'admiratrices que je ne me déshabillerais pas pour autant devant les caméras.

— Peut-être pourrions-nous en discuter ?

Elle se mordit la lèvre, agacée. Ses pensées étaient ailleurs.

— Carole, vous êtes toujours là ?

— Oui, mais écoutez-moi bien, Brad, je n'ai pas l'étoffe d'une comédienne, maintenant je m'en rends compte. Je suis seulement fatiguée et...

— Evidemment. Les frasques de Nathan doivent vous bouleverser.

Pourquoi mentir ? Un sourire amer flotta sur ses lèvres.

— En effet, Brad. Je vous remercie de votre délicatesse.

— Je suis navré, Carole... Mais, réfléchissez encore en recevant votre nouveau contrat.

— C'est tout réfléchi.

— Parfait ! Dans ce cas, n'en parlons plus.

— Tant mieux.

— Carole !

Elle reposa l'appareil. Affaire réglée, songea-t-elle. Maintenant, peut-être devrait-elle réfléchir aux paroles de Lucy. Son regard balaya les murs de sa maison, celle de son enfance... dans laquelle ses parents ne reviendraient plus jamais. Des larmes glissèrent sur ses joues lorsqu'elle décrocha le téléphone. La voix irritée de Mme Jeffries s'éleva au bout du fil. Le scandale avait dû déchaîner une série d'appels et la pauvre femme était visiblement exaspérée de répondre à tous ces importuns.

— Ici, Mme McKendrick. Mon mari est-il là ?

Il y eut un silence. Mme Jeffries n'avait-elle pas reconnu sa voix ? Soupçonnait-elle une admiratrice d'avoir inventé ce subterfuge ? Finalement, Nathan prit l'appareil.

— Oui ?

— Nathan, veux-tu que nous observions une trêve pour discuter tous les deux ?

Il marqua un temps d'arrêt avant d'accepter.

— J'arrive, déclara-t-il.

— Non... C'est moi qui vais te retrouver dans une minute.

Lucy avait certainement raison. Nathan parut subitement bouleversé.

— Carole... c'est vrai ?

— Oui. Attends-moi.

— Mais...

Elle trouva inutile de prolonger la conversation au téléphone. Elle raccrocha, brusquement soulagée.

La villa de Nathan avait un charme indéniable. De style espagnol, blottie au milieu des arbres, la Baie de l'Ange, située à la pointe de l'île, bénéficiait d'un petit port privé. Impressionnée par la beauté des lieux, Carole sursauta en entendant la voix de son mari.

— Salut ! lança-t-il, en venant à sa rencontre.

— Hello ! répondit-elle, la gorge serrée.

Il posa ses mains sur ses épaules et effleura son front d'un baiser affectueux.

— J'aurais bien tué le veau gras, ajouta-t-il en souriant. Malheureusement, je n'en ai pas.

— Un verre de vin blanc fera l'affaire, déclara-t-elle gaiement.

Bras dessus, bras dessous, ils se dirigeaient vers la villa quand Nathan souligna.

— J'ai fait décrocher tous les téléphones et

Mme Jeffries a reçu l'ordre de ne laisser entrer aucun visiteur !

— Une vraie trêve ? plaisanta-t-elle. Nous n'aborderons aucun sujet tabou ?

Elle se glissa dans ses bras.

— Promis !

Un instant plus tard, ils s'ébattaient joyeusement dans la piscine couverte. Sur le bar roulant, Nathan avait disposé des verres et une bouteille de vin blanc. Toutes les questions que Carole avait envisagé d'aborder lui parurent brusquement stupides. Lorsqu'ils sortirent de l'eau, un merveilleux bien-être l'envahit. Nathan lui tendit son verre.

— Carole, j'ai reçu mon assignation à comparaître devant la cour, dit-il calmement.

— Je... je suis vraiment désolée pour toi.

Il soupira avant d'ajouter d'une voix sourde.

— Mes avocats pensent que je devrais transiger avant le jugement.

— Et toi ? Qu'as-tu prévu ?

— De refuser. Sinon, je donnerais l'impression d'être coupable.

— Ecoute, Nathan... Je sais que tu ne l'es pas. Mais peut-être que cela simplifierait les choses.

Nathan lui prit la main et plongea son regard dans le sien.

— Tu es sincère, Carole ? Tu crois vraiment que je dis la vérité ?

Elle baissa la tête et se mordit les lèvres.

— C'est moi qui ai eu tort, Nathan... Lucy m'a

fait comprendre que je reste figée dans mon passé... Je n'ai jamais vraiment partagé ta vie... C'est peut-être pour m'accrocher à mes souvenirs d'enfance que j'ai tenu à reprendre mon nom de jeune fille pour jouer dans ce feuilleton...

Un sourire ému mais radieux flotta sur les lèvres de Nathan.

— C'est aussi un signe des temps, dit-il, doucement. Bien des femmes...

— Non. Je ne me sens pas à l'aise... Et puis, il faut que tu le saches, Nathan : je n'ai plus besoin de pseudonyme car je n'ai pas l'intention de renouveler mon contrat.

Nathan se mit à suivre attentivement les ébats d'une mouche sur un pot de fleurs.

— Puis-je te retourner ta question ? dit-il doucement. Que comptes-tu faire de ton temps libre ?

Carole but une gorgée de vin pour se donner du courage.

— Pour ma part, Nathan, j'aimerais me consacrer à mon foyer... Nous n'avons jamais connu une vraie vie de couple et notre mariage...

Nathan éclata d'un rire joyeux.

— Ma chérie, c'est pour cette raison que j'ai décidé de me retirer, moi aussi ! Tu aurais dû être la première à l'apprendre !

— Toi aussi, tu aurais dû être le premier au courant de ma décision ! Oh, Nathan... crois-tu que les temps vont changer pour nous ?

— Inévitablement, mon amour...

— Penses-tu que vraiment... nous pouvons tout recommencer ensemble ?

— Oui, ma Carole, mais il faudra surtout avoir la patience de nous comprendre... Nous sommes comme l'eau et le feu...

Puis, l'attirant brusquement à lui, il posa ses lèvres sur les siennes.

— Je suis trop fatigué pour en ajouter plus, soupira-t-il, en faisant lentement glisser les bretelles de son maillot de bain.

Sa bouche se posa sur la pointe rosée d'un sein. Carole eut un gémissement de bonheur.

— Où est Mme Jeffries ? demanda-t-elle dans un souffle.

Nathan se redressa, frustré. N'y avait-il pas un havre où ils puissent, un jour, se retrouver complètement seuls ?

— Dis-moi ce que tu veux, Carole ?

— Toi, chuchota-t-elle.

Nathan se leva et alla donner un tour de clef à la porte. La piscine couverte était comme une étuve et, lorsqu'il se pencha de nouveau sur elle, l'un et l'autre eurent l'impression d'être bien à l'abri de l'hiver et des soucis. Un cri de bonheur monta de leur âme quand ils ne firent plus qu'un et qu'ils atteignirent le plaisir dans un vertige qui leur parut durer une éternité...

— Le déjeuner est prêt ! cria alors Mme Jeffries.

Ils se regardèrent, en émergeant lentement de cet océan passionné.

— Allons... viens, dit-il en riant.

Carole l'enveloppa d'un regard taquin. Mais, cette fois, elle savait que désormais son destin s'inscrivait dans les pas de Nathan.

Chapitre 12

De sa voix chaude et pleine d'humour, Lucy venait de déclarer au téléphone :

— Je donne une petite réception pour présenter des sous-vêtements. Peux-tu venir à deux heures ?

Carole releva les sourcils. Dans la salle de bains, Nathan prenait sa douche. Elle s'étira dans le grand lit qu'ils ne parvenaient plus à quitter.

— Des sous-vêtements ?

— Les gens riches comme toi appellent cela de la lingerie, chérie ! susurra Lucy, moqueuse. Bref, il s'agit de ces jolies petites dentelles en soie que tu portes sous tes robes !

Carole se mit à rire et, tout aussi taquine, murmura suavement.

— Ah oui ? Quelle drôle d'idée ! Sais-tu que pour l'instant, je suis très occupée à cimenter une réconciliation ?

A cet instant, Nathan surgit, une serviette éponge autour des reins, l'eau ruisselant encore sur ses épaules musclées.

— Tant mieux, continua paisiblement Lucy. Je n'ai pas le temps de t'envoyer une invitation, mais je compte sur toi. Non seulement mes amies pourront acheter des peignoirs de bain à moitié prix, mais surtout elles te verront en chair et en os.

Carole se trémoussa sur le lit : Nathan, ayant repoussé les couvertures, la taquinait.

— Un peignoir de bain... à moitié prix ? répéta Carole, sans conviction.

La phrase resta en suspens ; son mari venait de poser ses lèvres sur les siennes. Un gémissement lui échappa mais à l'autre bout du fil, Lucy continua, impertubable.

— Quel démon te tourmente ?

Carole parvint à se libérer pour balbutier en riant.

— Celui qui pourrait te donner raison, Lucy !

— Parfait. Dans ce cas, je t'attends à deux heures !

Nathan lui ôta l'appareil des mains pour raccrocher et reprendre ses jeux amoureux en toute quiétude.

Les yeux de Lucy pétillaient lorsqu'elle ouvrit la porte à son amie.

— Alors, dois-je te demander comment se passe cette seconde lune de miel ? chuchota-t-elle.

— Mis à part quelques interruptions, plutôt bien, répondit Carole en riant.

Dans le salon, elle retrouva des visages familiers, y compris celui de Kate Sheridan.

— Vite, montre-moi ces fameux peignoirs ! Je les achète tous à moitié prix ! s'exclama Carole.

Certes, la présence de Nathan lui manquait, mais après tant de bonheur, elle prit un réel plaisir à contempler des frivolités. Lorsque la réunion s'acheva, elle suivit Kate et Lucy dans la cuisine pour boire une dernière tasse de café.

— Que pensez-vous des nouvelles activités de Lucy ? demanda Kate.

Carole fronça les sourcils.

— Est-ce sérieux ? Ne me dis pas que tu as été recrutée pour vendre de la lingerie !

Son amie éclata de rire et des paillettes d'or se mirent à briller dans ses yeux.

— Ce n'était qu'un test, décréta-t-elle ravie. En fait, j'ai l'intention d'ouvrir une agence immobilière et de faire visiter les maisons de l'île.

— Bravo ! Voilà une excellente idée... D'autant plus que j'aurai besoin de toi.

Ce fut au tour de Lucy de se montrer étonnée.

— Que racontes-tu ?

L'ahurissement qui se peignait sur le visage de ses amies l'amusa au plus haut point. Prenant tout son temps pour s'expliquer, elle savoura sa réponse.

— Je compte vendre ma maison...

— Excellente idée ! approuva Lucy. Nathan et toi avez besoin d'être enfin chez vous.

— Oui, mais peut-être devriez-vous vous installer ailleurs, objecta Kate. Maintenant qu'il abandonne sa carrière...

Carole secoua la tête et s'efforça de sourire.

— C'est un rêve, mais ce n'est pas encore pour tout de suite. Il nous faudra attendre un peu... Nathan va donner un concert d'adieux à Seattle le mois prochain... et moi, je dois encore m'acquitter de quelques obligations professionnelles.

Kate fronça les sourcils et parut perplexe.

— Pourquoi ne rompez-vous pas votre contrat, Carole ? C'est l'occasion ou jamais. D'autant qu'Alice Jackson cherche un professeur pour les classes élémentaires.

Carole dévisagea son amie, un peu choquée.

— Mais, voyons, Kate, je ne peux pas faire une chose pareille !

— Pourquoi pas ? insista Lucy. Tu m'as dit ne plus vouloir continuer ta carrière de comédienne.

— Simple question d'honnêteté.

— Certes, mais il peut parfois y avoir des exceptions, continua Kate. D'autre part... je ne serais pas surprise que Brad Ranner soit derrière ce scandale.

Cette fois, Carole les regarda, abasourdie. Jusqu'à présent, jamais cette éventualité ne l'avait effleurée. Diane Vincent avait été la coupable toute désignée !

— Mais enfin, pourquoi... aurait-il agi ainsi ?

Kate et Lucy échangèrent un coup d'œil impatient puis Lucy souligna.

— Tu es vraiment naïve, Carole ! Brad éprouve pour toi plus que de l'admiration. Il ferait n'importe quoi pour plonger Nathan dans l'embarras et t'éloigner de lui !

Carole savait que Nathan était jaloux de Brad mais elle n'avait jamais compris pourquoi. Il est vrai que Brad avait fort mal réagi lorsqu'elle lui avait annoncé sa décision de ne pas renouveler ses engagements. Pourtant, leurs liens n'avaient jamais dépassé une camaraderie strictement professionnelle. Relevant un menton frondeur, elle protesta, indignée.

— Diane Vincent a dû demander à Renée Parker de divulguer ces calomnies au sujet de Brad. Je ne le crois pas capable de faire ce genre de choses !

— Pourquoi non ? reprit Kate. Réveillez-vous, Carole ! Lorsqu'ils sont ensemble, Nathan et Brad ressemblent à deux lions prêts à se battre pour la même proie.

Certes, sa sensibilité d'écrivain donnait à Kate Sheridan une grande perspicacité ; mais Carole insista, déçue.

— Nathan a renvoyé Diane ! Voilà pourquoi elle souhaitait se venger.

— Quand était-ce ? Hier ou avant-hier ? Pour intenter un procès, il faut davantage de temps.

— Diane a dû tout prévoir, s'obstina la jeune femme.

Kate hocha la tête.

— Imaginons plutôt que Diane et Brad soient complices. Néanmoins, ma chérie, vous devriez réviser votre jugement à propos de Ranner. Il n'est certainement pas celui que vous croyez.

Carole sentit ses yeux la piquer. Pourquoi s'acharnait-elle ainsi contre Diane Vincent ?

Lucy regarda son amie avec une pointe de pitié et déclara en posant son bras autour de ses épaules.

— Désolée, Carole. Je n'aurais jamais dû soulever ce problème...

— Aucune importance, répondit-elle, reprenant peu à peu son calme.

Elles parlèrent ensuite à bâtons rompus, puis Kate et Carole prirent congé.

Au-dehors, la neige s'était remise à tomber. Kate proposa de ramener Carole dans sa voiture. Celle-ci accepta mais le regretta aussitôt. Il aurait été délicieux de rentrer à pied...

— Parlez-vous sérieusement au sujet de votre maison ? demanda Kate. Voulez-vous réellement la vendre ?

— Oui... Elle aura été mon refuge, mais pas vraiment mon foyer.

Qu'auraient pensé ses parents de cette décision ? se demanda-t-elle, nostalgique. Auraient-ils souhaité que Nathan et elle s'y installent définitivement ? Ou bien lui auraient-ils conseillé de couper des liens qui entravaient sa vie de femme ?

La réponse lui parut claire. Janet et Paul O'Connor avaient aimé leur gendre et le divorce de leur fille les aurait profondément désolés.

— Je parie, murmura Kate, que vous vous interrogez au sujet de vos parents ?

Carole tressaillit et répliqua, amusée.

— Vous ne cesserez jamais de m'étonner, Kate ! Si un jour vous êtes lasse d'écrire, vous pourrez toujours embrasser la carrière de devin !

— J'y gagnerai davantage d'argent ! Dans l'immédiat, dois-je vous épargner la révélation de votre avenir ? Vous êtes en train de grandir, Carole...

— Merci...

— Croyez bien que Lucy et moi ne voulions pas vous bouleverser tout à l'heure. Mais, seulement, vous éviter d'être blessée de nouveau.

La jeune femme soupira.

— Vous n'avez jamais douté de Nathan, n'est-ce pas ? Lucy non plus... Dites-moi, pourquoi avez-vous tellement confiance en lui ?

Kate se mit à rire et, tout en fixant son attention sur la route neigeuse, elle déclara gaiement.

— L'amour est visible à l'œil nu, Carole ! Nathan porte son cœur sur lui comme d'autres arborent une cravate neuve !

Carole soupira.

— J'aimerais en être aussi sûre que vous... Parfois, je suis certaine qu'il m'aime... Et puis...

— Et puis ?

— J'ai peine à croire qu'il puisse vraiment s'intéresser à quelqu'un d'aussi insignifiant que moi.

— C'est de votre faute, Carole, pas de la sienne.

Vous avez surtout besoin de vous revaloriser à vos propres yeux.

Carole observa le visage de son amie. Encore une fois, les autres portaient sur elle un jugement beaucoup plus sûr que le sien ! Pourtant, Janet et Paul O'Connor avaient été des parents avisés. Elle avait fait d'excellentes études et ensuite réussi brillamment dans la comédie. Néanmoins, Carole manquait de confiance en elle.

Comme Kate arrêtait sa voiture devant la Baie de l'Ange, Carole se tourna vers elle.

— Voulez-vous entrer un moment ?

— Certainement pas. J'ai un chapitre à terminer. Du reste, ni vous ni Nathan n'avez besoin de compagnie.

Carole se mit à rire et prit congé. Dans le hall, Nathan l'attendait. La maison était tiède et intime sans le va-et-vient des musiciens et Carole eut l'impression que Nathan, également, lisait dans ses pensées.

— Où sont donc ces fameux sous-vêtements ? lança-t-il joyeusement.

Préoccupée par les conseils de ses amies, Carole avait oublié l'objet de la réunion.

— Je te demande pardon ?

Nathan l'attira tendrement contre lui.

— Ne viens-tu pas de chez Lucy ? demanda-t-il en riant.

— Oui, bien sûr. Mais ce n'est pas comme dans un magasin. Je recevrai ma commande dans quelque temps.

Nathan l'aida à déboutonner son manteau.

— Pourrions-nous reprendre cette passionnante discussion après le petit dîner aux chandelles que je t'ai préparé ?

— As-tu vraiment fait la cuisine ?

— Absolument. Mme Jeffries est partie à Seattle pour voir sa sœur et je n'avais pas le choix. J'ai pensé que cela nous changerait un peu de tes délicieux sandwiches et des boîtes de soupe réchauffées...

— Est-ce une pierre dans mon jardin ? ironisa-t-elle.

Nathan laissa la question sans réponse. Ouvrant les portes de la vaste salle à manger, il lui désigna une petite table délicatement décorée. Toutefois, Carole dut se mordre les lèvres pour ne pas éclater de rire. Les chandeliers d'argent éclairaient des hot-dogs, des frites et une bouteille de vin.

Carole s'assit avec dignité et, prenant une pomme de terre entre ses doigts, s'informa suavement.

— Comment as-tu préparé ceci ?

— J'ai utilisé le four à micro-ondes, répliqua-t-il sur la défensive.

— Après avoir sorti les pommes de terre du congélateur, n'est-ce pas ?

— Evidemment ! Je les ai fait dégeler !

— Je vois. A mon avis, elles auraient été plus croustillantes si tu les avais mises dans un four ordinaire.

— Je le saurai pour la prochaine fois, ma chérie.

Stoïque, elle croqua dans un hot-dog à peine tiède. De sa vie, elle n'avait fait pareil festin ! Par contre, le vin s'avéra délicieux et lui fit pétiller les yeux.

— Je vais vendre ma maison, déclara-t-elle, sans préambule.

Il y eut un court silence suivi de l'inévitable question.

— Pourquoi ?

Carole but une gorgée de vin avant d'affronter le regard de son mari.

— Parce que je pense qu'il est temps de tourner une page sur ma jeunesse.

La main de Nathan se posa tendrement sur la sienne.

— Cette maison représente beaucoup de souvenirs pour toi, ma chérie.

— Oui, mais je me sentirai mieux après.

— Alors, fais-le.

— Nous possédons bien des choses toi et moi, et pas assez en commun.

— Tout ce que j'ai t'appartient, Carole. Je croyais que tu le savais.

Des larmes brûlantes se mirent à sourdre sous ses paupières et elle balaya des yeux le décor luxueux de la salle à manger, les meubles confortables, les chandeliers d'argent.

— J'ai passé trop peu de temps ici, avoua-t-elle. Je m'y sens encore comme une invitée.

— Tu n'aimes pas cette villa, n'est-ce pas ?

La jeune femme secoua la tête.

— Non, elle me plaît, Nathan. Mais, habituellement...

— Il y a trop de monde, c'est ce que tu veux dire ?

Confuse, elle acquiesça.

— Maintenant, ça va changer, Carole. Je me retire du show-business. Tu t'en souviens ?

Peut-être n'était-ce qu'une impression ? Mais Carole perçut une certaine nostalgie dans sa voix. S'il regrettait déjà, que serait-ce... dans quelques semaines ?

— Ecoute, un McKendrick sans emploi est sans doute suffisant ? N'abandonne surtout pas ta musique à cause de moi, je ne pourrais pas le supporter.

Il la regarda intensément pendant quelques secondes avant de murmurer d'une voix rauque :

— Je t'aime, Carole. Tout ce qui compte pour moi, c'est toi et notre mariage. C'est plus important que tout au monde, y compris mon métier.

— Mais as-tu réellement envie de l'abandonner ?

— Je ne sais pas. Mais, pour l'instant, notre vie privée doit passer avant tout.

Carole acquiesça d'un hochement de tête pensif.

— S'il te plaît, Nathan, ne fais pas ce sacrifice pour moi. Il doit exister d'autres solutions...

— Nous avons besoin de temps, mon amour. D'autre part, tu n'es pas la seule à être fatiguée de la vie que nous avons menée jusqu'à ce jour. Les voyages, les concerts, les répétitions, les enregistrements... Carole se rendit compte de toute l'énergie qu'il lui avait fallu déployer durant ces dernières années. Elle suggéra :

— Prends six mois ou un an de congé ?

Nathan resta pensif.

— Tu as raison. Je vais déclarer forfait pendant un an et, après, nous discuterons de notre avenir, madame McKendrick.

Il posa un baiser au creux de son poignet et ajouta, taquin.

— Mais après douze mois de dîners aux chandelles et d'amour, je crains de ne jamais pouvoir reprendre le collier.

— Peut-être seras-tu las de moi avant ce délai ?

— Jamais.

Il se leva, vint près d'elle, commença à dégrafer son corsage tandis que ses lèvres se posaient sur son front. Elle protesta.

— Nathan !

Le chemisier vola dans la pièce. Quelques instants plus tard, il lui enlevait son jean. Il l'emporta sur le divan, alors qu'elle se débattait en riant.

— Nathan !... Nous sommes dans la salle à manger ici !

Il s'agenouilla devant elle et effleurant son corps de baisers brûlants, il proclama :

— A mon avis, on ne saurait trouver de lieu plus adéquat...

Chapitre 13

Au petit matin, Carole s'éveilla pour constater, ravie, que la neige avait cessé de tomber. Pour une fois, elle allait se lever avant Nathan. Sans bruit, elle se glissa jusqu'à la salle de bains.

Quelques minutes plus tard, elle se prélassait dans une eau tiède et parfumée. Tout à coup, elle tressaillit en apercevant un léger peignoir rose à moitié dissimulé derrière une porte.

Ne tire pas tout de suite des conclusions ! se dit-elle en sortant de la baignoire. Elle se frictionna longuement avec sa serviette, mais déjà son esprit gambadait...

Ce vêtement m'appartient sûrement... Je l'ai sans doute oublié comme le maillot de bain et le polo que j'ai retrouvés.

Quand elle le prit, ses mains tremblaient. Non, elle n'avait jamais vu ce déshabillé. Sa gorge devint sèche et une violente douleur lui laboura la poitrine. Puis, d'un seul coup, la rage l'envahit et elle fit irruption dans la chambre, enroulée dans son drap de bain.

— Nathan McKendrick !

Il se redressa et fit une grimace comique devant le spectacle qu'elle lui offrait.

— Ce n'est pas drôle du tout ! lança-t-elle, en agitant le peignoir comme un drapeau.

— *Toro !* ironisa Nathan en éclatant de rire.

L'évocation d'une corrida ne parvint pas à la dérider et elle poursuivit, indignée :

— Qui a laissé ce vêtement ?

Il haussa les épaules.

— Je l'ai acheté pour toi... Dans l'espoir que tu l'utiliserais un jour.

— Je pensais que... enfin qu'il appartenait à...

— Encore tes ridicules soupçons !

— Nathan...

Il se leva et l'enlaça. Jamais Carole ne s'était trouvée aussi ridicule.

— Allons, où as-tu caché ton sens de l'humour ? lui chuchota-t-il à l'oreille.

Elle s'écarta dans le vain espoir de rajuster la serviette éponge qui glissait lentement. Comme elle se baissait pour la ramasser, Nathan s'en empara, la roula en boule et l'envoya dans un coin de la chambre.

— Nous irons à Seattle... un peu plus tard, dit-il en serrant sa femme dans ses bras.

Ils prirent le ferry en milieu de matinée. Carole parvint à passer incognito, mais la renommée de Nathan ayant fait le tour du monde, bien des gens se retournèrent sur leur passage. Il avait pourtant pris soin de se vêtir d'un simple jean, d'une chemise en flanelle et d'une veste de couleur neutre. Toutefois, personne ne se hasarda à venir l'interviewer. Alors, avec une moue enfantine, il souligna.

— Tu vois, je suis sur la touche !

— Pas tout à fait, jeune homme, riposta-t-elle en désignant un groupe d'adolescentes qui le dévoraient des yeux. A mon avis, elles sont en train de se demander si elles t'ont bien reconnu. Quelle déception pour ces gamines, si tu leur annonçais que tu es un simple conducteur d'autobus !

Nathan se mit à rire.

— Parfois, je regrette de ne pas l'être.

— Vraiment ? Pourquoi, Nathan ?

Il ne répondit pas tout de suite et suivit du regard les mouettes qui volaient autour du bateau.

— Nathan ? insista-t-elle.

Poussant un soupir, il se tourna vers elle.

— Oui...

— Dis-moi pour quelle raison tu aimerais être conducteur d'autobus.

— Parce qu'il mène sans doute une existence plus paisible. Il part travailler le matin, rentre le soir, s'installe devant sa télévision, avec une bière fraîche. Un gosse en pyjama vient se fourrer dans ses jambes et...

Carole eut un rire incrédule tandis que les larmes lui montaient aux yeux.

— Souhaiterais-tu avoir un enfant, Nathan ?

— Peut-être.

Le regard de la jeune femme balaya le ciel gris

et les cimes des arbres le long de la côte. Involontairement, ils venaient de soulever le sujet qui lui tenait le plus à cœur. Serrer dans ses bras un enfant de Nathan... Jusqu'à présent, jamais ils n'avaient envisagé de fonder une vraie famille.

Malheureusement, cette conversation lui rappela de nouveau Renée Parker.

Elle se détourna pour cacher ses larmes et ils oublièrent l'avenir au profit des projets de la journée.

Après avoir erré sur la place du Marché, ils se promenèrent dans les rues animées, pour finalement se faire photographier en costumes d'époque dans une boutique de souvenirs ! Ils s'amusèrent comme des gamins lorsqu'ils se virent affublés des tenues de leurs ancêtres. Nathan, avec de fausses moustaches, était vraiment méconnaissable !

En dépit de ces enfantillages, Carole ne se sentait pas vraiment en forme. Elle était fatiguée, déprimée. Une demi-heure plus tard, dans une cafétéria, elle se laissa tomber sur une chaise. Nathan effleura gentiment sa joue.

— Tu as envie de te reposer un peu ?

— Oui, j'irai mieux dans une minute, je suppose.

— Ne bouge pas, je vais te chercher un café.

Il disparut dans la foule et Carole observa un jeune garçon qui venait de faire irruption dans la cafétéria.

— Je peux commander une glace, dis ? criait-il d'une voix aiguë.

— Pas question, Jamie. Nous sommes en hiver, tu vas boire un chocolat chaud ou rien du tout.

Carole sursauta en entendant cette voix et, une seconde plus tard, Diane Vincent pénétra à la suite du jeune garçon. Rapidement, Carole détourna la tête dans l'absurde espoir de passer inaperçue.

— Bonjour, Carole !

La jeune femme fit un effort pour sourire.

— Oh... bonjour, Diane.

— C'est incroyable ! Nous ne cessons de nous rencontrer. Nathan est-il avec vous ?

— Oui, c'est vraiment une curieuse coïncidence !

Jamie s'était éclipsé pour aller écraser son nez sur une vitrine de jeux. Désinvolte, Diane prit une chaise et s'installa. Carole feignit de se sentir détendue mais elle avait l'estomac noué.

— C'est mon neveu, déclara Diane en désignant l'enfant du menton. Dites-moi, Carole, quand reprenez-vous le tournage du feuilleton ?

— Je ne suis pas particulièrement pressée. Dans l'immédiat, je préfère m'occuper de mon mariage.

— Une poursuite sans espoir, susurra Diane.

Carole accusa le coup mais n'hésita pas à renvoyer la balle.

— A propos de poursuite sans espoir, rétorqua-t-elle, avez-vous trouvé un nouvel emploi ?

Diane renversa la tête en arrière et se mit à rire.

— Moi non plus, je ne suis pas pressée. Nathan s'est montré très généreux. Et dans l'immédiat, je suis très occupée.

Carole eut un petit sourire. Décidément, songea-t-elle, je suis une merveilleuse comédienne. Comment se fait-il que je puisse discuter si tranquillement avec cette femme au lieu de lui arracher les cheveux ?

— Que faites-vous donc de si intéressant ?

— J'ai entrepris d'écrire un livre avec l'aide d'un ami.

— Magnifique !

— Oui... je raconte mon aventure avec Nathan !

Le sourire de Carole s'estompa.

— Une œuvre d'imagination, si je comprends bien.

Les joues de Diane se colorèrent légèrement.

— Vous avez l'art de vous laisser berner, Carole. C'est sans doute la raison pour laquelle vous acceptez si facilement ce récent scandale, n'est-ce pas ?

— Ce n'est qu'un odieux canular, Diane, et vous le savez fort bien.

Diane jeta un bref coup d'œil sur son neveu avant de dévisager froidement sa rivale.

— Renée Parker n'est peut-être qu'une enfant, mais moi, non. J'ai passé plus d'une nuit avec votre mari ! Que pensiez-vous que nous faisions durant toutes ces tournées ? Vous imaginez-vous que, le soir, nous nous contentions de jouer aux cartes ?

— Gardez donc toutes ces confidences pour votre livre, Diane.

— Quel livre ? demanda soudain une voix derrière elle.

Carole se retourna. Nathan tenait une tasse de café dans chaque main. D'un geste gracieux, Diane effleura familièrement la poche de sa veste et, avec un aplomb que Carole admira presque, elle eut le front d'affirmer en souriant :

— Je lui ai tout dit, Nathan. J'espère que cela ne vous ennuie pas ?

Une fraction de seconde, Nathan eut la tentation de renverser le liquide brûlant sur le pullover rose de Diane, puis, se ravisant, il rétorqua d'un ton égal.

— Au contraire. Mais j'espère que vous n'allez pas énumérer toutes vos conquêtes : grooms, garçons de salle ou d'ascenseur, sinon, nous en avons pour des mois.

Le ravissant visage de Diane se crispa, elle devint cramoisie.

— Vous êtes odieux !

Puis, se levant, elle appela son neveu et, sans ajouter le moindre mot, tourna les talons.

Carole frémit lorsque Nathan vint s'asseoir à ses côtés.

— Tout va bien ?

Incapable d'affronter son regard, elle balbutia.

— Quand donc cessera-t-elle de me poursuivre ?

— J'aurais dû la flanquer à la porte depuis longtemps.

Stoïque, la jeune femme but son café et un long silence s'ensuivit. Lorsqu'ils se retrouvèrent dans la Porsche, Nathan déclara d'une voix basse :

— Je suis vraiment désolé.

Feignant de s'intéresser à l'animation de la rue, Carole lui jeta un très bref coup d'œil.

— A quel propos ?

— Au sujet de Diane et de tous ces bouleversements stupides.

Carole croisa ses mains sur ses genoux.

— As-tu quelque chose à te reprocher ?

— Rien.

Carole appuya sa tête sur le siège de la voiture. Elle se sentait terriblement lasse. Diane avait sûrement un peu raison. Nathan avait passé plus de temps avec son agent de presse qu'avec sa femme. Comment aurait-il pu résister aux charmes d'une si belle créature ?

— Carole ?

Elle ouvrit les yeux et s'aperçut qu'ils étaient presque arrivés à l'appartement. La jeune femme lui jeta un regard interrogateur.

— Tu as besoin d'un moment de repos, déclara-t-il. Je vais faire quelques courses pendant que tu dors un peu.

— Quelles courses ?

Son ton soupçonneux trahissait le fond de sa

pensée, et les mains de Nathan se crispèrent sur le volant.

— Je suppose que je vais aller voir mes anciennes maîtresses, d'autant plus que l'une d'elles écrit un livre. Ensuite, j'irai peut-être faire la cour à une vieille dame.

— Très drôle !

— Ecoute, Carole, si je t'inquiète tellement, pourquoi ne louerais-tu pas les services d'un détective privé ?

Loin de tout humour, elle sortit de la voiture et claqua la portière sous les yeux étonnés de George. De toute évidence, le gardien venait d'être témoin de leur brève algarade. Impassible, il accompagna respectueusement Carole jusqu'aux ascenseurs. Nathan demeura coi derrière le volant de sa Porsche.

Carole attendit de se retrouver seule dans l'appartement pour donner libre cours à ses larmes. Comment une journée si bien commencée avait-elle pu être si facilement gâchée par Diane Vincent ? Elle ôta son manteau et parcourut la pile de courrier entassée sur la table. La plupart des lettres étaient adressées à Nathan, à l'exception d'une carte postale expédiée d'Eagle Falls. Carole essuya ses joues du revers de la main et chercha un mouchoir pour sécher ses yeux. D'une écriture enfantine, Renée Parker avait écrit ce message puéril : « J'ai essayé de vous appeler plusieurs fois, mais vous n'étiez pas là. Mon petit ami a trouvé du travail en Alaska sur un bateau de pêche. Pourriez-vous m'envoyer une invitation pour que je puisse assister au tournage d'un épisode de votre feuilleton ? »

Un numéro de téléphone avait été également inscrit au bas de la carte. Aussi, sans attendre, Carole décrocha l'appareil. Après plusieurs sonneries, une femme répondit enfin.

— Renée est-elle là, s'il vous plaît ?

— Qui la demande ?

— Carole McKendrick, c'est important, je dois parler à Renée, s'il vous plaît.

Avec une nuance d'irritation dans la voix, son interlocutrice s'écria :

— Renée ! C'est la femme du chanteur !

Un instant plus tard, Renée prit l'appareil, fébrile.

— Tracy ? C'est vous ?

— Mon nom est Carole.

— Aucune importance ! J'ai tant cherché à vous joindre !

— Que désirez-vous, Renée, hormis une invitation à assister au tournage ?

— Rien.

— Qu'est-ce qui vous fait supposer que je suis disposée à vous faire cette faveur ?

— Je... Je n'ai jamais assisté à une émission en direct.

Cette fois, la patience de Carole était à bout.

— Ecoutez-moi bien, Renée, mon mari mérite le respect et vous l'avez gravement offensé par vos mensonges. Je me moque éperdument de vos caprices. Sachez qu'il est inutile de me téléphoner si vous n'avez rien à me dire au sujet de ces calomnies.

A sa grande stupéfaction, elle entendit la jeune fille éclater en sanglots. Nullement encline à la pitié, Carole raccrocha.

La porte s'ouvrit à cet instant et Nathan pénétra dans le salon.

— Ah ! Mon Dieu ! gémit Carole, pourquoi faut-il que tu sois si séduisant et si célèbre ?

Pour toute réponse, il s'approcha et passa sa main douce dans ses cheveux. Elle s'appuya contre son torse sans cesser de gémir.

— Oh ! Mon Dieu ! Mon Dieu !

Un flot de bonheur l'envahissait à nouveau. Nathan était là et sa seule présence suffisait à effacer les angoisses. La sonnerie du téléphone rompit la magie de cette seconde d'éternité, et gentiment Nathan s'écarta.

— Ne bouge pas, j'y vais.

— Allô ! dit-il.

Une expression étonnée se peignit sur son visage.

— Mais qui a pu vous donner mon numéro de téléphone ?

Puis il fronça les sourcils et son regard devint indéchiffrable. Avant de raccrocher, il ajouta d'une voix blanche.

— Entendu, je le lui dirai... Merci, Renée.

Il reposa lentement l'appareil et se tourna vers

sa femme, les traits crispés par la colère. Un silence pesant tomba dans la pièce.

— Nathan ! Peux-tu m'expliquer... ?

Il se détourna et fixa le mur en serrant les poings.

— Brad Ranner a payé Renée Parker pour me faire endosser la paternité de son enfant.

Carole se leva, ses genoux tremblaient.

— Mais... pourquoi... ?

— C'est très exactement ce que j'ai l'intention de savoir, dit-il d'une voix frémissante.

Et sans ajouter un mot, il tourna les talons. La porte d'entrée claqua derrière lui.

Chapitre 14

Carole passa une main tremblante sur son visage. Comment sortir de ce cauchemar ? Sans réfléchir davantage, elle forma le numéro de Brad Ranner. Il lui fallait connaître la vérité ; elle ne pourrait attendre une minute de plus.

— Allô, ici Carole.

Brad marqua un temps d'arrêt, puis soupira.

— Tiens, ma prima donna, dit-il d'une voix où perçait un ennui à peine déguisé.

— J'ai une question importante à vous poser, Brad !

— J'en suis sûr, princesse, mais dites-moi, vos affaires de cœur s'arrangent-elles ? Avez-vous du nouveau ?

— C'est exact, déclara calmement Carole. Il se trouve que Nathan a découvert qui avait payé Renée Parker pour le diffamer.

— Magnifique !

— Brad, comment osez-vous !

Il soupira.

— C'est une longue histoire et plutôt compliquée, Carole.

— Je n'en doute pas !

— J'avais de bonnes raisons, figurez-vous.

— Elles me paraissent évidentes ! Dans l'hypothèse où vous auriez réussi à briser mon ménage, vous aviez une petite chance de me voir continuer votre feuilleton.

— Pour l'amour de Dieu, Carole, écoutez-moi...

— Mon cher Brad, si Nathan surgit dans votre studio, vous pourrez porter plainte pour coups et blessures ! ironisa-t-elle, féroce.

Cette fois, elle dut marquer un point, car Brad bredouilla, beaucoup moins rassuré.

— Vous m'appelez de l'île, n'est-ce pas ?

— Désolée, mon cher, je vous téléphone de l'appartement.

Brad jura et raccrocha brutalement. Son impatience à découvrir la vérité lui avait-elle fait commettre une nouvelle bévue ? Nathan serait fou de rage en apprenant qu'elle avait prévenu Brad Ranner. Lorsque le téléphone sonna à nouveau, la jeune femme prit l'appareil avec appréhension. Qu'allait-elle apprendre encore ?

— Enfin, te voilà ! s'écria Lucy. Que fais-tu en ville ? N'avions-nous pas rendez-vous aujourd'hui pour parler de la vente de ta maison ?

Carole soupira.

— Fais au mieux, Lucy, j'ai toute confiance en toi.

— Que se passe-t-il ? Tu as une drôle de voix.

— Kate et toi aviez raison, c'est Brad Ranner qui est responsable de la diffamation.

— Nathan le sait-il également ?

— Oui ! Il est en route pour les studios de Brad à l'heure qu'il est.

Lucy eut un rire moqueur.

— Je suppose qu'il va lui tatouer cette histoire sur le visage ?

— J'espère que non.

— Pour quelle raison ?

— Je préférerais le faire moi-même.

— Il vaudrait mieux que tu ne le revoies pas, Carole. Désormais, tu n'as plus à respecter ton contrat. Personne ne pourra t'en blâmer.

— Un contrat est un contrat et j'ai l'intention de l'honorer jusqu'au bout.

— Hein ?

— Tu m'as bien entendue.

— Mais Nathan en aura une syncope !

— Non. Je ne mélange jamais les affaires privées avec le travail.

— Alors, là, vraiment, je ne te comprends plus, Carole. T'imagines-tu que Nathan te laissera faire ?

— Il comprendra.

— Non, il sera furieux.

— Tant pis ! Qu'il le soit jusqu'à ce que j'en ai fini avec Brad.

Il y eut une exclamation écœurée au bout du fil ; puis, à bout d'arguments, Lucy raccrocha.

Carole n'en fut pas affectée. Elle avait avant tout besoin d'un bain et de quelques heures de sommeil. Lorsqu'elle s'éveilla, la nuit était tombée et son estomac criait famine. Après avoir enfilé son peignoir rose, la jeune femme se dirigea vers la cuisine. Nathan était assis au bout de la table.

— Tu l'as prévenu, n'est-ce pas ?

— Oui.

— Pourquoi ?

Certes, Nathan ne pouvait guère comprendre. Carole le dévisagea. Le visage blême, il avait un regard de bête blessée.

— Je devais le faire, Nathan.

— J'aurais dû m'en douter. Mais j'aurais voulu régler mes comptes moi-même.

La jeune femme se dirigea vers le réfrigérateur.

— Je suis affamée, et toi, désires-tu quelque chose ?

Nathan éclata d'un rire amer.

— Je ne suis plus sûr de rien, sauf que si je mangeais tout de suite, le résultat serait désastreux.

Paisiblement, Carole se coupa un morceau de fromage et prit une pomme. Ensuite, elle s'assit en face de son mari et continua d'un ton égal :

— Quand commences-tu les répétitions pour ton concert de Seattle ?

Il lui jeta un regard furibond.

— Bientôt. Mais auparavant, je désire avoir une petite explication avec toi, Diane, Renée et Brad. Les événements s'avèrent joliment compliqués, n'est-ce pas ?

Carole croqua sa pomme d'un air détaché.

— Je sais. Toutefois, il vaudrait mieux que tu

te concentres sur ton concert. De toute façon, j'ai encore quelques scènes à tourner et...

— Comment ? Tu veux reprendre le tournage ? l'interrompit-il, brutalement.

— Je disais que tu devais encore choisir tes chansons...

Elle lui décocha un regard innocent, mais sa gorge se serra.

— Tu m'as très bien entendu, reprit-il. Que voulais-tu dire à propos de ton feuilleton ?

— Je dois respecter mon contrat, Nathan.

— Après ce qui s'est passé, tu es en droit de le rompre.

— Non. J'ai accepté un certain nombre d'épisodes et je dois y figurer.

Nathan se leva avec une lenteur menaçante.

— Je ne peux y croire, gronda-t-il. Comment peux-tu accepter de travailler avec ce personnage ?

Carole se mordit la lèvre inférieure.

— Je ne le fais pas pour lui, Nathan, mais pour moi. Je n'ai jamais abandonné un travail.

— Et nous, Carole, notre couple, n'y songes-tu pas ?

D'un seul coup, une fureur aveugle envahit la jeune femme. Bondissant sur ses pieds, elle s'écria :

— Qu'insinues-tu, Nathan McKendrick ?

Elle dévisagea ce visage bien-aimé déformé par la même colère et ne le reconnut pas. Nathan lui fit l'effet d'être un étranger.

— Ne trouves-tu pas que nous avons assez d'ennuis ? Mes avocats peuvent faire annuler ton contrat !

— Oserais-tu les faire intervenir ?

— Tu es plus entêtée qu'une mule ! Mettons un terme une fois pour toutes à ces histoires sordides !

— C'est une question d'honneur, Nathan ! Tu n'as jamais rompu un seul contrat de ta vie ! Pourquoi faudrait-il que je le fasse ?

Une lueur de rage traversa les prunelles de son mari.

— C'est différent.

— Vraiment ? Pourquoi ne donnerais-je pas à ma carrière l'importance que tu donnes à la tienne ?

Nathan poussa un soupir exaspéré et tenta de recouvrer son calme.

— Si ta carrière te paraît primordiale, pourquoi la quittes-tu ?

— Parce que je n'ai pas envie de me montrer nue devant plusieurs millions de téléspectateurs ! laissa-t-elle échapper.

L'expression de Nathan ne tarda pas à lui faire regretter ses paroles.

— Pardon ?

Carole baissa les yeux. Dans sa colère, elle en avait trop dit et bien entendu, Nathan ne manquerait pas d'interpréter tout autrement sa démission.

— Le feuilleton est acheté pour la série du samedi soir, avoua-t-elle. Comme tu le sais, ce sont les scènes d'amour qui les intéressent.

— Brad voulait te faire tourner des séquences érotiques ?

— Calme-toi, Nathan ! J'ai refusé et de toute façon, je ne renouvellerai pas mon engagement.

Nathan ne bougeait pas. Ses yeux noirs la fixaient, incrédules.

— Nathan...

— Appelle-le tout de suite et dis-lui que tu ne retourneras pas travailler avec lui, ordonna-t-il, les lèvres serrées.

— Non.

Les rages froides de Nathan étaient effrayantes.

Après avoir lancé à sa femme un regard menaçant, il se dirigea vers la porte. Carole courut jusqu'à lui.

— Nathan ! Où vas-tu ?

— Je sors !

La porte d'entrée ébranla les murs de l'appartement lorsqu'il la claqua derrière lui.

Chapitre 15

Tour à tour furieuse et désespérée, Carole ne put dormir. Elle entendit Nathan rentrer, tard dans la nuit, mais il ne vint pas la rejoindre et partit s'installer dans la chambre d'amis.

Lorsqu'elle entra dans la cuisine, le lendemain matin, la jeune femme le trouva pieds nus, pas rasé, vêtu uniquement d'un vieux jean.

— Bonjour ! lui lança-t-elle.

Penché au-dessus du réfrigérateur, Nathan ne daigna ni répondre ni même tourner la tête. Ses mâchoires étaient crispées et de toute évidence, sa colère n'était pas tombée.

Carole l'observa tandis qu'il préparait son petit déjeuner, servant maladroitement un bol de lait, cherchant les céréales, trop fier pour demander de l'aide. Ses mains tremblaient de colère et il renversa sa tasse en la posant sur la table.

— Tu trouveras une éponge sur l'évier, dit-elle d'une voix moqueuse.

Devant son mutisme orgueilleux, Carole ne put s'empêcher de persifler.

— La vedette du rock dans l'intimité ! Quel dommage que les magazines ne puissent te voir.

Nathan marmonna quelques paroles inintelligibles. Mais avant que la jeune femme ait pu lui répondre, le téléphone sonna. Carole se leva.

C'était Pat.

— Bonjour, dit-elle d'une voix de conspirateur, je crois que Nathan est à la maison ?

— En effet.

— Ecoute, Carole, surtout ne l'appelle pas. Je voulais juste te dire qu'il a passé une bonne partie de la nuit dernière sur mon sofa.

— Ah ! Justement, je me posais des questions.

— Je m'en doute. C'est la raison pour laquelle je te préviens. Tu sais, il est vraiment fou de toi mais il cherchait à exciter ta jalousie.

La porte de la cuisine était restée ouverte et Carole haussa un peu la voix de façon à ce que Nathan entende.

— Eh bien ! C'est entendu, monsieur Helner, susurra-t-elle. J'adorerais tenir ce rôle. Comment ? Je commencerai à tourner à moitié nue ? Aucune importance !

Pat eut un petit rire à l'autre bout du fil et Nathan un geste rageur, en comprenant qu'on se moquait de lui.

Après avoir raccroché, Carole revint d'un pas léger et jeta négligemment :

— Au fait, où étais-tu la nuit dernière ?

Nathan se servit une seconde fois de céréales et, feignant la confusion, maugréa :

— Vous aimeriez bien le savoir, madame...

L'atmosphère se détendit légèrement. Carole

soupira avant de prendre un ton mélodramatique.

— Eh oui ! dit-elle. Puisque mon destin est de vous partager avec des inconnues !

Nathan finit par éclater de rire. Soulagée, Carole se versa une seconde tasse de café.

— Bon, ça suffit ! déclara Nathan. J'ai passé une partie de la nuit chez Pat et tu le sais fort bien, Sherlock Holmes !

Carole le défia du regard et enchaîna sur le ton de la plaisanterie :

— Je commence ce nouveau tournage dès octobre. J'ai toujours rêvé de jouer nue.

— Bravo !... A propos, vas-tu rompre ton contrat avec Brad ?

La jeune femme soupira. La trêve n'avait duré que quelques secondes.

— Non.

Nathan secoua la tête mais une lueur amusée dansa dans son regard.

— Je déclare forfait ; on ne peut pas lutter avec toi. Tu es trop entêtée.

— C'est une question d'honneur, Nathan. Je respecte toujours mes engagements, dit-elle, sérieusement cette fois-ci.

— L'honneur s'accommode mal d'un homme comme Brad Ranner. Ceci dit, crois-moi, il ne s'en tirera pas à si bon compte.

— Arrange-toi tout de même pour ne pas te retrouver en prison. Nous avons été suffisamment séparés !

Nathan détourna les yeux.

— Hum... Avant de me rendre chez ma douce sœur, j'ai pourtant fait un détour par l'appartement de Brad.

— Et alors ?

— Sa femme de ménage m'a dit qu'il était parti au Mexique pour un voyage d'affaires.

Carole se mit à rire.

— Il se cache.

— C'est ce qu'il a de mieux à faire.

— Pourquoi es-tu allé chez Pat au lieu de te rendre sur l'île ou ailleurs ?

— Je savais qu'elle me ferait la morale. Il en est toujours ainsi depuis qu'elle a cessé d'être ma sœur pour devenir la tienne. En attendant, viens ici, dit-il en allongeant le bras.

Un délicieux frisson parcourut la jeune femme. La petite lueur qui venait de s'allumer dans les yeux de son mari annonçait un moment de bonheur. Pour prolonger cette attente, elle fit un pas en arrière. Nathan eut tôt fait de l'enlacer.

— Il faut que je prenne une douche et que je m'habille, dit-elle avec un petit rire de gorge.

— Certainement, mais tout à l'heure.

Il glissa sa main dans l'échancrure du peignoir rose. Le souffle de Carole s'accéléra. Lorsqu'il écarta les pans de son déshabillé, elle murmura.

— Je t'aime trop.

— Moi aussi... Et je vais te le prouver.

Deux semaines s'écoulèrent. Les McKendrick étaient retournés sur l'île, et les répétitions de Nathan avaient lieu à la Baie de l'Ange. La maison résonnait de nouveau de chants et de musique.

Pendant ce temps, Carole prit contact avec le directeur d'une école privée pour lui offrir ses services. Sa candidature fut retenue. Elle passa également de longues heures en compagnie de Lucy et de Kate et enfin, sa maison fut mise en vente.

Toutefois, elle gardait une angoisse au fond du cœur : elle n'avait pas revu Brad, mais, ayant l'intention de remplir son contrat, elle redoutait le moment où il lui faudrait l'affronter.

Ce moment arriva le jour où, à Seattle, elle rendit visite à son médecin.

Alerté par un sixième sens, Brad sonna à la porte de l'appartement où elle se reposait avant de regagner l'île. Il avait dû apprendre que Nathan était resté à la Baie de l'Ange pour préparer son prochain concert. En apercevant le script qu'il tenait à la main, Carole insinua :

— C'est la scène où je meurs, je suppose ?

— Rien de tel, ma chère ! Vous êtes sur le point d'être arrêtée pour vol à l'étalage dans un grand magasin. A la fin, on vous retrouve dans l'Armée du Salut.

En dépit de sa rancœur, Carole ne put s'empêcher de rire.

— En effet, rien n'est prévisible dans ce feuilleton. Ceci étant, comment vous arrangez-vous pour justifier l'absence de mon personnage, ces temps-ci ?

Brad prit place sur le divan pendant que Carole lui versait une tasse de café.

— Tracy Ballard est retenue captive dans une vieille église par l'ex-épouse de son mari !

Puis, après un bref coup d'œil autour de lui, il demanda enfin.

— Nathan est dans les parages ?

Carole lui tendit une tasse, avec un sourire narquois.

— Il enregistre dans son studio pour son prochain concert.

— Ah bon... Carole, je...

— Je suppose qu'il serait préférable de ne pas évoquer certaines choses, l'interrompit-elle.

— Non, je crois au contraire qu'elles exigent une explication.

La jeune femme poussa un soupir irrité et prit place dans le fauteuil de Nathan.

— Cela ne fera aucune différence, Brad.

— C'est possible. Toutefois, sachez que l'idée d'impliquer Nathan dans un scandale avec Renée Parker est de Diane. J'en ai assez d'être considéré comme l'instigateur de ce mélodrame.

Carole frónça les sourcils, exaspérée.

— Cela ne m'étonne nullement, Brad. Nathan et moi l'avons immédiatement soupçonnée. Mais vous êtes tout aussi fautif. Vous avez accepté de participer à ce coup monté bien avant que nous discutions tous les deux du nouveau contrat.

— Je l'avoue.

— Pourquoi, Brad ?

Brad détourna les yeux et, après une seconde d'hésitation, soupira.

— Parce que je vous aime, Carole, si vous voulez tout savoir. Je vous ai aimée dès que je vous ai vue. Mais je vous croyais célibataire. Ce n'est que plus tard que j'ai appris que vous étiez mariée avec Nathan McKendrick et que vous utilisiez votre nom de jeune fille pour tourner. Par la suite, je me suis demandé si votre mariage durerait. Avec un époux sans cesse absent...

— Aussi avez-vous décidé de saboter notre union, acheva Carole.

Une expression de honte traversa le regard de Brad.

— C'est à peu près ça, Carole. Je suis désolé. Je n'avais pas l'intention d'aller si loin, et pourtant...

Il s'interrompit. Brad éprouvait-il réellement des remords, ou bien jouait-il la comédie d'une façon géniale ? Quoi qu'il en soit, Carole perdit brusquement le goût de la vengeance. Elle n'avait plus envie de haïr Brad, car elle avait sa petite part de responsabilité. En effet, elle avait omis de lui faire savoir dès le début qu'elle était mariée... Par ailleurs, il leur restait fort peu de temps à travailler ensemble.

En lisant le script que Brad avait apporté, Carole découvrit que l'on pourrait boucler le tournage en moins de dix jours. Brad avait dû s'arranger pour qu'il en soit ainsi et Carole lui en fut reconnaissante.

Après avoir mis au point les derniers détails, elle raccompagna Brad jusqu'à sa voiture. Avant de s'installer au volant, il l'embrassa fraternellement sur la joue.

— Je ne vous ferai plus de mal mais méfiez-vous de Diane, Carole, dit-il gentiment. Dieu sait ce qu'elle est encore capable d'inventer pour vous nuire.

La jeune femme croisa ses bras sur sa poitrine et hocha la tête.

— A mon avis, Brad, elle va déclarer forfait.

— N'y comptez pas. J'ai même entendu dire qu'elle avait fait une offre à propos de la maison que vous avez l'intention de vendre.

Cette fois, Carole resta abasourdie. Grand Dieu ! Carole devait prévenir Lucy au plus tôt.

— Restez sur vos gardes, reprit Brad. Je ne crois pas que Diane soit en mesure de l'acheter, mais elle peut trouver un moyen pour contourner le problème.

Trop bouleversée pour discuter, Carole préféra changer de sujet.

— Dites-moi, où en est le contrat que vous comptez signer avec la télévision ?

— Il n'y a rien de nouveau. Nous n'avons pas encore trouvé à vous remplacer.

— Cela ne devrait pas être si difficile. Je n'avais qu'un rôle mineur, après tout.

Brad lui jeta un regard nostalgique.

— J'espère toujours rencontrer une autre Carole...

Elle détourna les yeux, pressée de joindre Lucy au téléphone.

— Je suis navrée pour vous, Brad.

— Ne le soyez pas. A lundi. Et... merci.

— De ?

— De ne pas m'avoir jeté notre contrat au visage.

Il mit le moteur en route et lui envoya un baiser avant de s'engager sur la route. Carole lui adressa un geste amical et regagna le salon. Son premier souci fut d'appeler son amie.

— Bonjour ! s'écria joyeusement Lucy.

— Ne vends pas ma maison à Diane Vincent ! jeta Carole sans préambule.

Lucy éclata de rire et répondit gaiement.

— En effet, elle m'a déjà fait une offre mais je lui ai demandé un million de dollars sous prétexte que tu étais célèbre et que ta renommée valorisait la villa ! Ceci dit, un jeune couple de Seattle aimerait l'acheter. Le mari travaille pour une compagnie aérienne et son épouse est peintre.

— Céde-la-leur tout de suite !

— Tu ne veux pas savoir à quel prix ?

— Je m'en moque.

— Je vois. Toutefois, je dois te prévenir qu'ils désirent faire abattre les trois arbres, de peur de les recevoir sur le toit un jour de grand vent.

Carole soupira. Elle adorait ces pins, mais inévitablement, ils étaient condamnés.

— O.K., Lucy, accepte. Peux-tu faire seule cette transaction ou dois-je être présente ?

— Je m'en chargerai. Mais, dis-moi, pourquoi ne viendrais-tu pas déjeuner avec moi aujourd'hui ?

— Maintenant que tu es devenue femme d'affaires tu as encore le temps de déjeuner ? plaisanta Carole.

— La femme d'affaires en question est encore en robe de chambre occupée à nettoyer le réfrigérateur.

— Comment oses-tu me faire une semblable proposition ? riposta Carole en riant. Ton frigidaire est vide et tu m'invites à déjeuner ! Retrouvons-nous plutôt à la Baie de l'Ange. Mme Jeffries nous préparera une salade dont elle a le secret.

— Je suppose que l'orchestre est encore là. N'aimerais-tu pas échapper un peu à tout ce bruit ?

— Parfait, faisons un compromis et allons déguster des huîtres et des chips à l'Observatoire.

— D'accord, je t'y attends dans une demi-heure.

Lucy était déjà attablée lorsque Carole arriva. L'Observatoire était le seul restaurant de l'île. Lucy arborait un ravissant costume de cachemire bleu.

— Tu es magnifique ! s'exclama Carole en prenant place à leur table favorite.

— Je tenais à te faire honneur ainsi qu'à ce couple de Seattle.

— Tu me sembles en pleine forme. As-tu eu d'autres clients en dehors de moi ?

Tout excitée, la jeune femme s'exclama.

— Evidemment. D'abord, j'ai vendu la vieille ferme qui se trouve sur le sentier des Myrtilles. Je l'ai fait visiter à un médecin de Renton en lui affirmant qu'elle était hantée et il a paru enchanté !

Une serveuse vint prendre la commande et lorsqu'elle s'éloigna, Carole ironisa.

— J'espère que le fantôme donne une plus-value à cette bâtisse !

Lucy se mit à rire, puis une lueur inquiète traversa ses yeux bleus.

— Carole...

— Oui ?

— Un détail me tourmente. Après t'avoir parlé au téléphone, j'ai reçu un appel de mon bureau. John, mon associé...

Elle s'interrompit, nettement ennuyée.

— Quoi, John ? Que voulait-il ?

— Il désirait savoir où se trouvaient les clefs du nouveau duplex à louer sur la baie. Voici ses mots exacts : « Une blonde incendiaire de Seattle cherche à louer un deux pièces avec vue sur la mer. »

Carole fronça les sourcils.

— Ce n'est pas forcément Diane. Il y a plus d'une blonde à Seattle !

Lucy secoua la tête.

— Certes. Mais, d'après John, elle était au volant d'une MG rouge.

La jeune femme ferma les yeux. Si Diane s'installait dans cette marina, elle se trouverait à quelques mètres de la Baie de l'Ange et deviendrait la plus proche voisine de Nathan.

Lucy parut troublée et anxieuse.

— Tu comprends, je ne peux pas demander à John de lui refuser, il perdrait sa commission. Or, il a, lui aussi, une famille à nourrir.

— En effet, le travail est le travail. Peut-être ne restera-t-elle pas longtemps dans les parages.

Le regard que Lucy fixait sur son amie démentait fortement cet espoir ! Ni l'une ni l'autre ne se faisait vraiment d'illusions.

Au bout d'un moment, Lucy s'interrogea :

— J'aimerais bien savoir ce qu'elle trame contre toi.

Carole n'avait guère à se poser cette question, elle connaissait la réponse. Diane n'aurait de cesse de briser son mariage. Toutefois, la jeune femme trouva plus sage de ne pas affoler son amie. Et le fantôme de la vieille grange devint, durant ce déjeuner, leur principal sujet de conversation.

Chapitre 16

Après avoir regagné la Baie de l'Ange, Carole s'empara du script de Brad pour le relire paisiblement. La répétition de Nathan n'était pas terminée et la jeune femme s'installa confortablement dans un rocking-chair sur la terrasse couverte. Tout à coup, elle sentit une présence derrière elle et se retourna.

Nathan était là, adossé au mur, décidément bien séduisant, malgré son vieux jean et son blouson fatigué.

— Ça va ? demanda-t-il doucement, les yeux fixés sur la baie.

Carole suivit son regard. La marina se dressait en contrebas et ils aperçurent les cheveux blonds de Diane brillant sous les derniers rayons du soleil couchant. Les mâchoires de Nathan se crispèrent.

— Ça va, répondit Carole, sans conviction.

Puis, comme son mari ébauchait un geste rageur, elle allongea le bras pour lui saisir la main.

— Ecoute, n'y pense plus. Nous ne pouvons rien faire.

Un éclair de colère traversa le regard sombre de Nathan.

— Cette... commença-t-il.

— Nathan, l'interrompit-elle, ignorons-la. Elle serait trop heureuse si tu allais lui demander une explication !

Il haussa rageusement les épaules.

— Si j'avais su, grommela-t-il, j'aurais acheté cet appartement quand il était encore en vente.

Carole eut un sourire sarcastique.

— Tu ne peux pas acheter le monde entier, tu sais ! Si ces duplex n'avaient pas existé, Diane aurait trouvé un autre moyen de se mettre entre nous.

Nathan effleura le bout de son nez et se détendit quelque peu.

— Tu n'es pas seulement merveilleuse, Carole, tu as de la classe.

Carole exécuta une profonde révérence. A cet instant, les yeux de Nathan tombèrent sur son script.

— Brad est venu ici ! dit-il sèchement.

— Oui, mais ceci ne représente que dix jours de travail, dit-elle, un peu gênée.

— Quand recommences-tu ?

— Lundi. Ecoute, Nathan, ne te tracasse pas. Brad était sincèrement contrit et il s'est excusé.

Cette fois, il posa sur elle un regard accusateur.

— Bien entendu, tu lui as pardonné.

— Nathan, je dois travailler avec lui. Je n'ai aucune envie de déclencher des hostilités !

— Tu n'as nul besoin de respecter ce contrat !

Ne crois-tu pas que Brad et Diane nous ont suffisamment compliqué l'existence ?

— Nous sommes passés au travers de l'orage, Nathan. De plus, j'ai donné ma parole.

Nathan affirma en fixant l'horizon :

— J'ai besoin de toi, ici.

— C'est faux et tu le sais. Je dois être à Seattle lundi, un point c'est tout.

Nathan poussa un soupir à fendre l'âme et se mit à arpenter la terrasse.

— Vraiment, Carole, par moments, j'ai l'impression d'être le seul à avoir tout sacrifié. J'annule mes concerts, mes émissions de télévision, mes dates d'enregistrement et toi, tu ne peux même pas m'accorder ces dix jours !

Elle referma brusquement son script et déclara d'un ton neutre :

— Parfait. Tu annules ton concert à Seattle et moi, j'abandonne la fin du tournage. Cela te convient ?

Nathan s'arrêta brusquement et la dévisagea, stupéfait.

— Ce concert est programmé, Carole ! Les billets sont déjà vendus et j'ai signé un contrat !

Devant une telle mauvaise foi, Carole eut grand mal à retenir son fou rire.

— Le contrat ? Quel mot magique ! Le tien est sacré mais pas le mien, pour quelle raison ?

— Va au diable ! explosa-t-il.

Il tourna les talons et, quelques instants plus tard, Carole l'aperçut qui s'engageait dans le bois. Elle aurait aimé le rejoindre... mais, décidée à en finir avec son travail, elle se replongea dans le scénario et, stoïque, commença à apprendre les dialogues.

Nathan marcha jusqu'à l'embarcadère. Le hangar à bateaux était vide et sombre et il s'assit sur un banc pour réfléchir. C'était bien le seul endroit de l'île où, à cette époque de l'année, on pouvait méditer sans risquer d'être dérangé. Au loin, l'on entendait les sirènes des ferry-boats.

Les bras autour des genoux, Nathan s'interrogea sur son propre entêtement. Pourquoi harcelait-il Carole pour une dizaine de jours de tournage ? La réponse n'était guère plaisante à reconnaître... Il était jaloux de Brad Ranner, point final.

A cet instant, la porte du hangar s'entrouvrit et le vent lui apporta les effluves du petit port et la fraîcheur du vent marin. Nathan fronça les sourcils et tourna la tête.

— Laissez-moi tranquille ! gronda-t-il en apercevant la silhouette de Diane Vincent.

Très calmement, Diane se glissa dans le hangar et, se penchant sur lui, effleura ses cheveux.

— Vous me semblez bien désemparé, mon pauvre ami.

— Allez-vous-en !

Elle n'en fit rien. Au contraire, elle s'approcha plus près encore. Ses doigts caressaient maintenant la nuque de Nathan et son parfum exotique l'enveloppait agréablement. Malgré lui, une onde de désir le traversa.

— Je peux faire mieux... chuchota-t-elle, en se collant contre lui.

Un vertige l'envahit. Cette femme était le diable... Lorsqu'il bougea imperceptiblement, deux lèvres fraîches vinrent se poser sur les siennes. Carole ! L'image de sa femme le ramena à la réalité. Il se ressaisit brutalement et repoussa Diane Vincent.

— Taisez-vous et partez !

Mais Diane se laissait rarement intimider.

— Etes-vous vraiment un mari fidèle ? Oh ! Nathan ! vous êtes complètement fou, chuchota-t-elle en se lovant contre lui.

Troublé, Nathan tenta de se libérer. Diane se pressa étroitement contre lui, agrippa ses épaules et le força à l'embrasser...

A cet instant, une torche électrique les aveugla. Nathan cligna des yeux et un juron lui échappa. Carole se tenait dans l'encadrement de la porte.

Cinnamon se précipita vers lui, avec un débordement de joie... Lorsque Nathan parvint à se libérer, Carole avait déjà disparu dans la nuit...

Le quai était encombré de cordages et d'ancres abandonnés, çà et là. Il faisait sombre et Carole butait à chaque pas. Nathan, qui avait couru en tous sens, s'approchait maintenant de sa cachette. Lorsqu'il parvint jusqu'à elle, il l'empoigna par l'épaule.

— Carole, regarde-moi !

Les rayons de lune éclairaient faiblement son visage bouleversé.

— Nathan ! Tu triches et tu mens !

Elle revit la scène dont elle venait d'être témoin... Nathan et Diane, enlacés dans le hangar à bateaux.

— Carole, je t'en supplie, laisse-moi au moins parler !

Incapable de répondre, la jeune femme se mit à pleurer doucement.

— Ma chérie, ce n'était pas... je n'ai jamais...

Impuissant, Nathan s'interrompit.

Quand, au bout d'un moment, Carole s'apaisa, elle balbutia d'une voix mourante :

— Ne dis rien, cela vaudra mieux. Que pourrais-tu inventer, d'ailleurs ? Je n'ai pas rêvé cette fois-ci...

Découragé, Nathan soupira.

— En effet, Carole, toute explication semble inutile. Pourtant, je puis te jurer que je n'avais pas l'intention...

— Tu l'embrassais !

— Carole, vas-tu cesser de me juger sur les apparences ? Tu ne bougeras pas d'ici avant de m'avoir écouté.

— Les apparences ! Comment espères-tu t'en sortir alors que je vous ai vus de mes propres yeux ?

Il la secoua brutalement.

— Justement ! C'est une terrible méprise !

Carole tenta de se dégager, suffocante de colère.

— Garde tes arguments, Nathan ! Ils pourront te servir.

— Que veux-tu dire ?

— Je désire divorcer.

Il la lâcha si soudainement qu'elle glissa dans l'herbe mouillée par la fonte des neiges.

— Jamais ! gronda-t-il.

Carole se releva et, dignement, reprit le chemin de la villa, Nathan sur ses talons. Sur le seuil, la jeune femme se retourna.

— Pourquoi discuter encore, Nathan ? Désormais, tu n'auras plus besoin de mentir ni de te cacher dans un hangar.

Nathan la dévisagea, incrédule. Carole se ravisa et se dirigea soudain vers le garage. Que ferait-elle désormais à la Baie de l'Ange ? Pour une fois, sa mauvaise habitude d'oublier ses clefs dans la voiture allait lui servir. Une seconde plus tard, elle était au volant et, dans l'éventualité où Nathan déciderait de la suivre, elle gagna sa maison par des chemins de traverse.

Un amer regret s'était emparé d'elle. Comme elle avait été heureuse dans cette villa qui, dans peu de temps, ne lui appartiendrait plus...

Après avoir soigneusement verrouillé les portes, Carole se laissa choir sur une chaise de la cuisine. Se gardant bien d'allumer la lumière, elle resta un long moment à digérer son infortune. Enfin, à tâtons, elle se réfugia dans sa chambre après avoir pris un somnifère. Il ne lui restait plus qu'à essayer de dormir.

Jamais, nuit ne lui parut aussi longue. Indéfiniment, Carole revoyait la scène dont elle avait été témoin. Nathan n'avait aucune excuse !

Au petit jour, elle se leva et s'habilla rapidement. Puis elle avertit Lucy de son départ et lui demanda de veiller sur Cinnamon.

Le chagrin perçait dans sa voix bouleversée, et son amie s'exclama :

— Que se passe-t-il encore, Carole ?

— Puis-je te rappeler demain ou après-demain ? Si je parle tout de suite, je vais m'effondrer.

— Carole !

— N'insiste pas, je ne peux pas.

— Parfait... Mais dis-moi au moins ce que je dois faire au sujet de ta villa ? Est-elle toujours en vente ?

— Oui. J'enverrai quelqu'un prendre mes affaires, si les acquéreurs veulent l'habiter tout de suite.

— Ceci n'est pas un problème, répondit doucement Lucy. Mais es-tu vraiment certaine de vouloir vendre ? Ne t'obstine surtout pas si...

— Non, vraiment, je suis décidée.

— Tu me téléphones demain ?

— C'est promis.

— Prends soin de toi, chérie.

La gorge nouée, Carole reposa l'appareil et,

quittant sa chère maison sans se retourner, elle monta dans sa voiture pour gagner le ferry.

Le joli visage de Diane était baigné de larmes. Son mascara barbouillait ses joues et, lorsqu'elle agrippa les montants du canapé, ses jointures blanchirent.

Appuyé contre la cheminée, Nathan la regardait sans la moindre pitié. Il venait de lui faire une scène épouvantable et, maintenant qu'il avait laissé éclater sa colère, il n'avait qu'une envie : partir !

— Je... je vous promets d'aller la voir... et de tout lui expliquer, bégaya-t-elle.

Il lui jeta un regard méprisant.

— Il est sans doute trop tard, dit-il en se dirigeant vers la porte.

— Je suis désolée...

— Vos excuses me réchaufferont le cœur lorsque je me retrouverai seul, après mon divorce ! riposta-t-il, sarcastique.

Diane toussota et leva vers lui un visage de martyre.

— Vous pouvez me blâmer, Nathan ! Mais il n'en reste pas moins que votre mariage n'a été qu'une suite d'échecs et ceci, bien avant que nous nous retrouvions dans ce hangar.

— Rectification ! Nous ne nous sommes pas retrouvés, vous m'avez suivi.

— C'est vrai. Mais après tout, vous ne vous

êtes pas enfui à toutes jambes ; avouez que je ne vous ai pas laissé indifférent.

Nathan la dévisagea froidement, nullement enclin à réfléchir sur la véracité de ses dires. Sans ajouter un mot, il tourna les talons et marcha d'un pas vif vers la maison. En chemin, il rencontra Jeff Kingston, son batteur. Jeff avait été le premier à travailler avec lui et à suivre son ascension, aussi une grande intimité unissait-elle les deux hommes.

— Nathan ! s'exclama Jeff. Que se passe-t-il donc ?

Après un soupir, Nathan finit par raconter ce qui s'était passé la nuit dernière. Jeff laissa échapper un juron.

— As-tu essayé de joindre Carole, depuis ?

Nathan secoua la tête.

— A quoi bon ? Elle ne veut certainement pas me parler.

— Ce n'est pas mon avis. Va la voir.

— Cela ne servirait à rien, je l'ai perdue...

— Trouve quelque chose, voyons ! gronda Jeff.

— Que veux-tu que je lui dise ? Que Diane me court après depuis six ans et que dans un moment de faiblesse, je lui ai accordé un baiser ?

— Est-ce la vérité ?

— Oui.

— Alors, explique-lui tout ça. Carole est une femme intelligente, elle comprendra.

— J'en doute. Figure-toi que le récent scandale l'a déjà bouleversée, Jeff. Alors, maintenant...

Jeff soupira amèrement.

— Très bien. Laisse faire, Nathan... Ranner et bien d'autres apprécieront ton geste.

— Que veux-tu dire ?

— Que si tu ne tentes rien pour la reconquérir, elle ne restera pas très longtemps seule.

— Bravo ! gronda Nathan en serrant les poings. Tu ne pouvais être plus réconfortant. Tu sais très bien qu'imaginer Carole dans les bras d'un autre me rend malade !

Un sourire ironique flotta sur les lèvres de son ami.

— Alors, débrouille-toi pour te montrer à la hauteur, déclara Jeff. Depuis ton retour d'Australie, nous avons tous remarqué que ta femme était désemparée. Tu ferais mieux de t'en occuper.

— Tu ne regrettes donc pas que je cesse de donner des concerts après celui de Seattle ?

— Evidemment si. Mais si tu veux la vérité, c'est toi le plus ennuyé ! Tu n'as aucune envie de quitter le circuit, Nathan, avoue-le.

— C'est vrai. Mais je ne veux pas davantage perdre Carole.

— Suppose que ce soit chose faite, que déciderais-tu dans ce cas ?

— De repartir en tournée... Mon Dieu ! Je crois que je n'ai déjà plus le choix.

Nathan enfonça rageusement ses mains dans les poches de son jean. Jeff haussa les épaules.

— Rien n'est certain, mon vieux. A ta place, j'oublierais pour un temps les concerts et je partirais avec ma femme quelque part, loin du travail, loin des autres, loin de tout.

Nathan hocha la tête et, les lèvres serrées, balbutia.

— C'est sans espoir. J'avais deux amours dans ma vie. Carole et la musique. L'un d'eux m'a quitté.

Chapitre 17

Du début à la fin, la journée du dimanche fut un enfer. Carole la vécut comme un automate. Elle ignora tout autant les appels téléphoniques que la sonnette de la porte d'entrée. Dans l'espoir d'oublier ses déboires, elle se plongea dans le scénario laissé par Brad, mais les mots lui semblèrent avoir perdu toute signification !

A l'heure du dîner, elle ouvrit les placards de la cuisine. Ils étaient vides. Le réfrigérateur ne contenait qu'un carton de bouteilles de lait. Un flot de larmes l'aveugla brusquement. Elle revit Nathan au cours de la dernière matinée passée ici... Mon Dieu ! Comme ils avaient été heureux. Mais combien... elle s'était montrée naïve !

Les jambes en coton, l'estomac tordu par la faim, Carole regagna le living. Après un moment d'hésitation, elle appela son restaurant chinois de prédilection pour se faire monter un repas. Peut-être se sentirait-elle mieux après avoir mangé un peu ? Dans l'intervalle, elle prit une longue douche, enfila un déshabillé. Puis, quand la sonnette retentit, elle alla ouvrir.

— Voici mon dîner !

Ce n'était que Pat qui la regardait avec réprobation.

— Tu es rudement imprudente d'ouvrir ainsi à n'importe qui. J'aurais pu être un cambrioleur ou un représentant de commerce !

Carole regardait fixement le carton que Pat tenait dans ses bras.

— Depuis quand livres-tu pour Chow May ?

Sa belle-sœur haussa les épaules.

— Je suis tombée sur le serveur au pied de l'ascenseur ! Bon sang, Carole, pourquoi ne décroches-tu plus ton téléphone et refuses-tu d'ouvrir la porte ?

Carole s'empara de son dîner et regagna le living suivie de Pat.

— Peut-être avais-je envie d'être seule.

— Hé ! ne mange pas ma part ! J'ai fait ajouter deux rouleaux de printemps à ta commande !

Carole soupira et installa leur festin sur une table basse. Pat n'aurait de cesse de tout savoir !

— Qu'espères-tu, Carole ? Fuir tes amis en faisant la morte ? Voici deux fois que je sonne à ta porte et je t'ai également téléphoné quatre fois ! En définitive, il m'a fallu appeler Lucy et Kate.

Croisant ses bras sur sa poitrine, Carole l'affronta d'un air boudeur.

— Si tu crois me culpabiliser, tu te trompes !

— Ce n'est nullement mon intention. Toutefois, Lucy se demandait si tu n'avais pas sauté par la fenêtre, et moi, si tu ne t'étais pas ouvert les veines.

— Vraiment ? Passionnant ! Et quelle a été la version de Kate ?

— Elle a opté pour une mort plus douce; l'asphyxie au gaz, par exemple ! Si je comprends bien, la guerre est à nouveau déclarée entre toi et Nathan ?

Carole prit un morceau de porc sucré.

— En effet, la guerre est permanente entre nous. Ceci dit, n'essaie pas de me faire parler.

Une lueur ironique traversa les yeux clairs de sa belle-sœur et, après avoir mordu dans son rouleau de printemps, elle déclara la bouche pleine.

— Vous n'êtes que deux idiots et je m'en lave les mains.

Elles n'échangèrent plus un mot de tout le repas. Puis, lorsque Carole eut desservi, les deux jeunes femmes parlèrent de tout et de rien. Carole regrettait sa solitude... Mieux valait demeurer en tête à tête avec soi-même que jouer cette comédie de l'indifférence.

Ce lundi matin fut un véritable désastre.

Pour commencer, Carole arriva une demi-heure en retard au studio. Ensuite, malgré tous les efforts de la maquilleuse, aucun fond de teint ne parvint à cacher ses traits tirés et ses cernes mauves. Comble de malheur, le plateau était encombré de journalistes, de photographes et de toute une foule d'admirateurs qui avaient été admis à assister au tournage.

Dès les premières prises de vue, Carole commença à se tromper dans les répliques. Finalement, Brad donna l'ordre aux cameramen de suspendre le tournage et de faire une pause. Prenant Carole par le bras, il l'entraîna loin de la foule et des projecteurs et éclata en violents reproches.

— Enfin, Carole ! Est-ce votre façon de vous venger ? Si vous avez décidé de saboter le travail, vous avez réussi !

Carole ne désirait qu'une chose : en finir au plus vite avec ce tournage et terminer dignement son travail. Des larmes d'impuissance lui montèrent aux yeux, ses lèvres tremblèrent, mais elle fut incapable de prononcer le moindre mot. La colère de Brad tomba brusquement et, la dévisageant attentivement, il effleura sa joue en un geste de compassion.

— Qu'y a-t-il ? Qu'est-il arrivé ?

Son orgueil lui interdisait de parler. Elle secoua la tête mais son regard fut sans doute suffisamment éloquent, car Brad murmura, perspicace.

— Nathan, évidemment !

Malgré ses efforts pour ne pas craquer, elle éclata brusquement en sanglots et se laissa tomber dans les bras de Ranner. Ce dernier la réconforta de son mieux en lui murmurant des mots tendres puis, tout à coup, il se raidit.

— Mon Dieu ! dit-il. Il ne manquait plus que cela !

Instinctivement, Carole tressaillit. Elle n'eut pas besoin de se retourner pour savoir que

Nathan se trouvait dans le studio. Quand elle lui fit face, le visage de son mari avait une expression meurtrière.

Brusquement, le silence tomba. Tout le monde se tut. Comédiens et comédiennes, cameramen et scriptes se regardèrent. Quant aux journalistes, ils semblèrent attendre avec une impatience non déguisée le joli scandale qui allait alimenter les colonnes de leurs journaux.

— Appelle le service de sécurité, souffla Brad à sa secrétaire.

Nathan eut un petit rire cruel et menaçant.

— Cela ne sera pas nécessaire, dit-il. Je me suis promis de bien me tenir...

Carole cessa de trembler, mais son cœur se serra. Le visage de Nathan ne trahissait que mépris et dédain. S'approchant de lui, elle balbutia d'une voix blanche :

— Que veux-tu ?

Nathan haussa les épaules avec une feinte désinvolture.

— Si possible, parler quelques instants en tête à tête.

D'un geste, elle lui fit signe de la suivre.

— Viens dans ma loge.

Brad se racla la gorge.

— Carole, je ne pense pas que...

— Tout va bien, Brad, l'interrompit-elle d'une voix posée.

Avec une galanterie exagérée, Nathan lui offrit son bras et ils quittèrent le plateau, indifférents à la perplexité générale. A peine referma-t-elle la porte qu'une lueur douloureuse traversa le regard de son mari.

Harassé, il s'appuya contre un mur.

— Vas-tu me féliciter pour mon sang-froid ?

Puis il lança un coup d'œil narquois sur sa robe de scène au décolleté suggestif qu'elle venait de quitter.

— Je ne ferai aucun commentaire sur ton costume, ajouta-t-il.

Carole le regarda avec une expression de défi.

— Je suppose que tu n'es pas venu uniquement pour me prouver ta noblesse de caractère ?

D'un seul coup, les traits de Nathan s'adoucirent, et une immense tendresse brilla dans ses yeux sombres.

— Je t'aime, Carole, dit-il d'une voix rauque.

— Tu as tort.

— Ne dois-je plus t'aimer ou ne plus te le dire ?

Carole se mordit les lèvres et se détourna.

— C'est pourtant vrai, continua-t-il. Je t'aime depuis le premier jour où je t'ai rencontrée. Carole, ce qui s'est passé dans le hangar est un horrible malentendu ! C'est aussi insignifiant que l'étreinte de Brad, tout à l'heure.

— Tu plaides l'innocence ? dit-elle. Mais tu embrassais Diane, me semble-t-il ? Tu l'as admis ! D'ailleurs, comment aurais-tu pu agir autrement ?

— Laisse-moi t'expliquer, Carole. Elle m'a suivi et surpris dans le hangar où je réfléchissais.

Lorsqu'elle s'est approchée, je l'ai repoussée une première fois. Elle a insisté...

En vain, la jeune femme essaya de le détester. Elle l'aimait trop pour pouvoir éprouver de la haine.

— Dans ce cas, répliqua-t-elle froidement, je n'ose imaginer la suite si je n'avais pas fait irruption.

Nathan eut un geste d'exaspération.

— J'espère que tu sais ce qui serait arrivé, Carole, que tu l'admettes ou non. Je l'aurais remise à sa place, giflée s'il avait fallu. Je ne veux pas d'elle, entends-tu ?

Comment savoir s'il mentait ou non ? Carole poussa un soupir.

— Quoi qu'il en soit, Nathan, continue de vivre comme si je n'avais rien vu !

— Ecoute-moi, je t'en supplie. Pourquoi ne pas tirer un trait sur tous ces malentendus. Ecoute ton intuition. Tu sais très bien, au fond de toi, que je dis la vérité.

Carole se détourna et entreprit de ranger les pots de crème et les flacons qui se trouvaient sur la table. En fait, elle essayait tout bonnement de se donner une contenance.

— Maintenant, va-t'en et laisse-moi tranquille, articula-t-elle péniblement.

Nathan resta silencieux mais ne bougea pas. Levant les yeux, elle croisa son regard dans le miroir. En vain s'était-elle détournée pour lui cacher ses sentiments !

Mais elle n'eut pas le temps de réfléchir ; déjà il traversait la pièce pour la serrer dans ses bras. Quand elle leva vers lui un visage défait, il s'empara de ses lèvres.

— Non...

Mais une vague de passion les submergea. Il reprit sa bouche et ses doigts caressèrent la peau satinée de son cou. Puis il se redressa et se dirigea vers la porte.

— Tu sais où me trouver, déclara-t-il d'une voix grave.

D'un seul coup, un flot de rage submergea Carole. L'emprise qu'il exerçait sur elle devenait insupportable. Tremblante, elle s'empara d'un pot de crème qu'elle lança de toutes ses forces à travers la pièce et qui vint s'écraser sur la porte. Nathan eut une moue ironique qui acheva de l'exaspérer et, sans élever la voix, il eut le front de lui rappeler son adresse et son numéro de téléphone.

— Je ne veux plus te voir, Nathan McKendrick ! cria-t-elle.

Cette fois, il s'esquiva prudemment. Ce fut, hélas, un photographe qui prit la relève. Passant la tête par l'entrebâillement de la porte, il fit crépiter son appareil de photo. Aveuglée par le flash, hors d'elle, elle brandit ce qui lui tomba sous la main : une brosse à cheveux, et Dieu sait ce qui aurait pu arriver si Brad n'avait fait irruption au même instant.

Au bord de la crise de nerfs, Carole lui fut

reconnaissante de mettre fin à cette scène d'un ridicule achevé. Brad retourna sur le plateau et annonça avec un calme étonnant que le tournage allait reprendre.

Quand elle réapparut dans le studio, son orgueil avait pris le dessus. A vrai dire, elle parvint même à donner le meilleur d'elle-même. Ses répliques furent parfaites.

De retour dans l'appartement, son premier soin fut de prendre une douche. Elle s'efforça de ne plus penser à Nathan. Manifestement, il s'en tiendrait à sa version des faits. Rien ne pourrait l'en faire démordre.

Apaisée par la tiédeur de l'eau, elle s'enveloppa dans un confortable peignoir d'éponge, brossa énergiquement ses cheveux et retourna dans le living pour se servir un grand verre de whisky. A cet instant, la sonnerie de la porte d'entrée retentit. Elle se figea... Non, elle n'ouvrirait pas... Plusieurs fois le visiteur insista, mais finalement le silence retomba.

Résolument, Carole se plongea dans le texte qu'elle devait apprendre pour le tournage du lendemain. La soirée s'écoula sans encombre. Après un dîner léger, elle se glissa dans son lit et s'endormit profondément.

Mais, au matin, elle fut désagréablement surprise d'éprouver de violentes nausées. Cet excès d'émotions violentes avait dû déclencher une crise de foie. Incapable d'avaler quoi que ce soit pour le petit déjeuner, elle se rendit au studio à jeun. Lorsque l'une des scriptes lui tendit une tasse, elle détourna la tête. La seule odeur du café lui soulevait le cœur.

— Vous sentez-vous bien ? s'inquiéta Brad.

— Non. J'ai peut-être attrapé la grippe...

Pour comble de bonheur, Brad s'était fait servir deux œufs au plat. Carole dut se précipiter aux toilettes avec des haut-le-cœur. Lorsqu'elle revint, pâle et décomposée, Brad l'observa attentivement.

— Nous pouvons remettre le tournage de vos scènes à demain, si vous voulez, proposa-t-il, gentiment.

Carole secoua la tête. Elle se sentait infiniment mieux.

— Tout va bien, Brad.

— Ne seriez-vous pas enceinte ?

Stupéfaite, elle s'appuya sur le dossier d'une chaise. Ses pensées se bousculèrent. Après un rapide calcul, Carole découvrit que cette hypothèse n'avait rien... d'absurde !

— Oh... mon Dieu... souffla-t-elle.

— Eh oui... murmura pensivement Brad, en la suivant des yeux tandis qu'elle sortait de la pièce, les jambes en flanelle.

Pourquoi ce merveilleux événement tant souhaité surgissait-il alors que son mariage était sur le point d'être brisé ?

Elle prit une profonde inspiration.

— Allons, Carole McKendrick, se dit-elle à

voix haute. Tu n'es pas enceinte, voyons... Tu as mangé quelque chose qui ne passe pas...

Des souvenirs affluèrent à sa mémoire... Nathan n'avait-il pas essayé de lui faire comprendre qu'il rêvait d'avoir un enfant ? Quelle ironie ! Maintenant que ce souhait était peut-être réalisé... il était trop tard ! Se mordant les lèvres, elle tenta de réprimer un sanglot.

Tout au long de la journée, le doute l'obséda. Le lendemain matin, sa décision était prise : elle irait voir son médecin.

Lorsqu'elle pénétra dans le cabinet du Dr Ford son cœur battait à grands coups.

— Bonjour, Carole, un nouveau petit problème de santé ?

— Je... je me demande si je ne suis pas enceinte.

Un large sourire illumina le visage du praticien.

— Si je ne me trompe, il me semble que vous attendiez cette bonne nouvelle depuis longtemps, n'est-ce pas ?

— Oui... mais...

Le Dr Ford la regarda avec étonnement.

— Nathan et moi sommes séparés...

— Sérieusement ?

— Je compte demander le divorce.

Le médecin alla nonchalamment se laver les mains et décréta d'un ton rassurant.

— Nous allons voir cela, immédiatement, Carole. Mais ne vous affolez pas... Bien des femmes seules élèvent leurs enfants désormais... Ce n'est plus un problème.

Carole ne répondit pas. Elle se prêta à l'examen. Lorsque le praticien eut terminé, son cœur battit à coups redoublés.

— Ecoutez, Carole, nous allons procéder aux tests d'usage... Simple formalité. A mon avis, vous attendez un bébé.

Carole éprouva à cet instant une joie profonde. Pourtant, tout allait de travers, et c'est complètement désemparée qu'elle arriva au studio. Lorsque Brad l'aperçut, il se dirigea vers elle.

— Alors ? demanda-t-il, tendrement.

— Août, répondit-elle d'une voix blanche.

Brad planta un solide baiser sur sa joue.

— Mes félicitations, chérie.

Carole retint ses larmes.

— Merci, parvint-elle à balbutier.

Comme elle s'avançait vers la table de maquillage, Brad lui saisit le bras et la força à le regarder.

— Pourquoi n'appelez-vous pas Nathan, murmura-t-il, gentiment.

Elle secoua la tête.

— Je... ne peux pas, Brad.

— Mais c'est absurde ! Il s'agit de son enfant autant que du vôtre ; il a le droit de savoir.

— Depuis quand vous préoccupez-vous de Nathan ? essaya-t-elle de plaisanter.

Brad eut un rire bref.

— Ça, c'est une autre histoire ! L'opinion que j'ai de Nathan me regarde.

Carole serra les lèvres et réfléchit un instant.

— Je suppose que ce n'est un secret pour personne que Nathan et moi sommes séparés, Brad. Il est tout aussi évident que je l'aime toujours... Mais, si je retourne auprès de lui, il est hors de question que ce soit uniquement pour l'enfant.

L'air choqué, Brad Ranner riposta.

— Ecoutez, Carole, je n'ai pas plus d'estime pour votre mari qu'il n'en a pour moi ! Toutefois, je le connais assez pour vous affirmer que ce n'est pas seulement le sens des responsabilités qui le ferait accourir.

Carole le regarda pensivement. En fait, ce n'était pas Brad Ranner qu'elle avait devant les yeux, mais Nathan et Diane dans le hangar à bateaux ! Aussi murmura-t-elle dans un souffle :

— Peut-être...

Brad la secoua doucement pour la ramener à la réalité.

— Carole, je vous aime trop pour vous laisser faire une telle bêtise ! Certes, j'ai eu d'énormes torts envers vous deux, mais...

— Le problème n'est pas là, Brad, l'interrompit-elle.

— Alors, où est-il, par pitié ?

— Diane.

Brad plongea son regard dans le sien.

— Allez-vous me dire que vous les avez surpris ensemble ?

Carole acquiesça lentement.

Il la dévisagea.

— Carole, je vous ai prévenue au sujet de Diane. Rappelez-vous ce que je vous ai dit le jour où je suis venu sur l'île. Je savais qu'elle ferait tout pour arriver à ses fins.

De nouveau, Carole inclina silencieusement la tête. C'était chose faite !

Brad laissa échapper un juron.

— Aussi sûr que j'existe, Diane va continuer à le poursuivre, croyez-moi !

Carole écarta les mains en signe d'impuissance.

— Nathan l'a embrassée, souligna-t-elle, humiliée et désespérée.

Brad eut un geste irrité, se mit à arpenter la pièce.

— J'aimerais bien que l'on m'explique pourquoi je prends la défense de Nathan McKendrick ! Je dois perdre la raison ! Il n'en reste pas moins qu'un simple baiser ne signifie rien !

Carole n'eut pas l'opportunité de répondre : l'équipe de tournage vint interrompre la discussion. La jeune femme en fut presque soulagée. Sans un mot, elle s'éclipsa et lorsqu'elle revint sur le plateau, le travail accapara toute son attention. De nouveau, Carole se montra une fort brillante Tracy Ballard.

Chapitre 18

La neige avait fondu, mais l'air restait glacé. Carole se dirigeait vers sa voiture garée dans le parking lorsque, tout à coup, elle faillit faire demi-tour... La Porsche de Nathan se trouvait garée à côté de sa Mazda.

Pendant un moment, la jeune femme hésita. Devait-elle retourner sur ses pas et aller se réfugier dans les studios de la production ? Avant qu'elle n'ait eu le temps d'en décider, Nathan descendit de sa voiture et, venant vers elle, la prit gentiment par le coude.

— Nathan... que veux-tu ? bégaya-t-elle, trop troublée pour se donner une contenance.

— Dîner, dit-il tranquillement.

Il portait un costume de ville élégamment coupé. Sans attendre sa réponse, il l'entraîna vers sa Porsche.

— Pour une fois, ne discute pas. Puisque ma démarche n'a pas de but précis, accepte, ajouta-t-il avec un sourire.

— Pourquoi pas ?...

Dès qu'il eut refermé sa portière, il démarra. Au bout d'un moment, elle rompit le silence.

— Où... allons-nous ?

Nathan concentra son attention sur la conduite avant de répéter laconiquement :

— Dîner.

Ils quittèrent le centre de Seattle et s'engagèrent sur l'autoroute. Vaguement inquiète, Carole lui demanda de nouveau où ils allaient.

Cette fois, il lui lança un bref coup d'œil.

— Du calme... Souviens-toi.

Carole se mordit les lèvres. Se doutait-il seulement de l'extraordinaire nouvelle qu'elle aurait pu lui apprendre ?

Il s'arrêta bientôt devant un petit restaurant. Quelle ne fut pas sa surprise lorsque le maître d'hôtel les précéda dans une salle... complètement vide !

— Mais, reprit-elle, où sont les... clients ?

— Il s'agit d'une soirée privée, répondit Nathan d'une voix monocorde.

— Que veux-tu dire ? insista-t-elle, à la fois amusée et légèrement effrayée.

— Uniquement toi et moi.

Nathan balaya d'un regard satisfait la salle à manger déserte, et se dirigea vers une table dressée pour eux.

— C'est du moins ce que tu crois ! laissa-t-elle échapper en prenant place.

— Je te serais reconnaissant de bien vouloir t'expliquer, rétorqua-t-il d'une voix douce.

Rougissante, elle répondit sans conviction :

— T'imagines-tu que nous serons les seuls convives ?

Nathan lui lança un long regard, puis déclara soudain.

— Je sais tout, Brad m'a téléphoné.

Elle reposa le cocktail que le serveur venait d'apporter. Sans lui laisser le temps de répondre, Nathan enchaîna :

— Je ne peux te dire le plaisir que j'ai eu en apprenant une telle nouvelle ! Merci infiniment.

— Je lui tordrai le cou ! murmura-t-elle, abasourdie.

Une lueur menaçante brilla dans les prunelles sombres de son mari.

— Tu ne m'aurais rien dit, n'est-ce pas ? Croyais-tu vraiment pouvoir me cacher longtemps l'existence de notre enfant, Carole ?

— Bien sûr que non ! protesta-t-elle en se levant si brutalement que sa fourchette tomba sur le sol.

— Quand serai-je père ? reprit-il les dents serrées. Si toutefois, tu estimes que j'ai le droit de le savoir !

— Août... balbutia-t-elle, la gorge nouée.

Il y eut un silence durant lequel Nathan ne la quitta pas des yeux.

— Pourquoi ne pas me l'avoir annoncé aussitôt ?

— Parce que tu m'aurais ramenée sur l'île.

— Cette perspective est-elle si terrible ?

— Oui. Nous avons rencontré trop de difficultés, Nathan ! Un enfant est le pire des prétextes pour sauver un mariage !

— Pas pour moi ! gronda-t-il, en lui prenant les mains. Ecoute-moi bien, Carole, ce bébé m'appartient autant qu'à toi ! Je ne serai jamais de ces pères qui s'attribuent le beau rôle en emmenant leur progéniture à Disneyland.

Carole observa son mari à la dérobée. Elle lut sur son visage une expression terriblement déterminée.

— Achève ton contrat, continua-t-il. Ensuite, tu rentreras sur l'île et tu t'installeras à la Baie de l'Ange.

— Vraiment ? Penses-tu pouvoir me forcer à vivre avec toi ? répondit-elle, indignée.

— Avec moi, non. Sous mon toit, oui, déclara-t-il péremptoire.

Il n'ajouta rien de tout le dîner. A peine Carole toucha-t-elle aux mets délicieux que Nathan avait commandés. Comment osait-il la traiter de la sorte ? Pour qui se prenait-il ?

Durant le trajet du retour, ils n'échangèrent plus la moindre parole. Tandis qu'il garait sa Porsche devant l'immeuble, elle se demanda s'il aurait le front de la suivre dans l'appartement. Tranquillement Nathan s'effaça pour la laisser passer, puis il franchit la porte à son tour. Carole se retourna, comme une furie.

— Si tu t'imagines que nous allons vivre et dormir ensemble après tout ce qui s'est passé... commença-t-elle.

— Rassure-toi, mon amour, je ne m'approcherai pas de toi.

D'un pas nonchalant, Nathan se dirigea vers le bar. Carole s'enfuit dans sa chambre et claqua la porte derrière elle.

La femme de ménage s'affairait déjà dans l'appartement, quand Carole, à moitié réveillée, rejoignit Nathan dans la cuisine. Ce dernier préparait le petit déjeuner et, lui versant un verre de jus de fruits, susurra d'un ton angélique.

— A partir de maintenant, tu prendras du décaféiné.

Pour toute réponse, elle lui jeta un regard noir.

Leur tête-à-tête devint intolérable lorsque Nathan s'installa devant elle avec une assiette de pommes de terre sautées et des saucisses. Les spasmes de la nausée la secouèrent aussitôt. Alors, elle se leva et gagna précipitamment la salle de bains avec Nathan sur ses talons. Gênée d'être observée en pareille circonstance, elle cria, exaspérée :

— Va-t'en !

Il n'en fit rien et, lorsque le malaise s'estompa, il lui tendit une serviette mouillée.

— Tu vois bien que tu as besoin de moi.

Carole lui lança un regard meurtrier.

— Si tu n'existais pas, je n'aurais pas ce problème !

Nathan se mit à rire.

— Je suis un homme à tout faire, ma chérie.

Elle ne put s'empêcher de sourire.

— As-tu l'intention de me suivre toute la journée avec des sels ?

— Certainement pas, rétorqua-t-il paisiblement. Je vais me rendre à ma répétition mais ce soir, j'irai te chercher au studio.

Fidèle à sa parole, Nathan l'attendit devant la porte et il en fut de même durant les jours suivants. Une sorte de routine, délicieusement insolite, s'installa entre eux. Pour la première fois depuis leur mariage, ils passèrent des soirées en tête à tête à lire, regarder la télévision ou écouter des disques. Un soir, au moment de se mettre au lit, Nathan déclara :

— Tu sais bien que si nous ne faisons plus l'amour, nous allons provoquer la fin du monde !

Il la fit rire. Alors, elle s'abandonna au plaisir de se blottir dans ses bras. Mais quelle valeur pouvait-elle accorder à cette trêve ?

La veille du concert de Nathan, elle acheva le dernier épisode du feuilleton. Le contrat enfin respecté, Brad Ranner avait organisé une soirée d'adieux. Tout le monde semblait avoir été invité à l'exception de Diane Vincent. Décidée à tenir son rôle jusqu'au bout, Carole, très digne, se rendit à la réception en dépit de son envie de fuir.

Par miracle, la soirée fut plutôt agréable. Brad Ranner fit un discours élogieux et lorsque Carole monta sur le podium, elle le remercia d'un innocent baiser sur la joue. Nathan resta imperturbable.

Demain, ce serait à son tour de faire ses adieux au public.

Pour elle, comme pour lui, un certain passé s'achevait...

Chapitre 19

Sur le chemin du retour, Carole ressentit une agréable impression de curiosité. Jusqu'alors, l'île n'avait toujours été qu'un refuge, mais maintenant il dépendait de Nathan qu'elle se sente ou non chez elle. Un sourire flotta sur ses lèvres.

— Pourquoi souris-tu ? demanda-t-il en cessant de fixer la route.

Elle mentit.

— Je pensais à ton concert. Que va-t-il se passer après ?

— Nous allons vivre une année de réclusion, répliqua-t-il en fuyant son regard. Carole...

Il ralentit et se tourna vers elle.

— Ecoute, je m'en veux de t'avoir brusquée. Il fallait vraiment que je sois désespéré pour agir ainsi.

Carole sentit sa gorge se nouer.

— Désespéré... ?

— Oui. Te perdre ainsi que notre enfant était au-dessus de mes forces. Je sais combien il sera difficile de consolider notre mariage, mais je t'en prie, ne me quitte pas...

Carole sentit des larmes brûlantes sourdre sous ses paupières. En six ans de vie commune, jamais Nathan ne s'était montré aussi vulnérable.

— Que se passe-t-il ? rétorqua-t-elle doucement. Ne m'as-tu pas dit que tout irait bien si nous cessions nos sempiternelles discussions ?

A nouveau, il regardait la route. Mais ses mâchoires s'étaient contractées.

— Je n'en sais rien... Peut-être serait-il bon de mettre les choses au clair, madame McKendrick ?

Carole ne répondit pas. En arrivant devant leur immeuble, Nathan laissa le gardien de nuit garer sa Porsche et ils gagnèrent leur appartement en silence. Ils restèrent un moment devant la baie à contempler le ciel étoilé et le miroitement des lumières sur la mer. Ils comprirent que leurs pensées se rejoignaient. Peu après, ils s'étreignirent passionnément dans le grand lit, puis Carole demeura longtemps les yeux ouverts. Comme elle sentit que Nathan ne dormait pas davantage, elle effleura sa poitrine.

— Que voulais-tu donc me dire ? chuchota-t-elle.

Il y eut un long silence.

— As-tu vraiment envie de renoncer à ton métier ? demanda-t-il enfin.

Carole se redressa sur un coude.

— Oui, répondit-elle honnêtement.

Dans l'obscurité, elle devina le regard brûlant dont il l'enveloppait.

— J'ai toujours détesté ce feuilleton, avoua-t-il. Mais j'aurais des remords si tu abandonnais quelque chose qui te tient à cœur.

— Ce n'est pas le cas, murmura-t-elle très vite.

Un peu plus tard, lorsque le souffle de Nathan fut celui d'un homme endormi, Carole soupira et se tourna sur le côté. L'aimait-il aussi sincèrement qu'il l'affirmait ? Ou bien jouait-il la comédie ? Certes, Nathan souhaitait élever leur enfant et le voir grandir... Mais, après cette scène dont elle avait été témoin dans le hangar, il lui était difficile de le croire sans réserves.

Quand elle s'éveilla, le soleil était déjà haut dans le ciel et l'appartement vide. Grâce au médicament prescrit par son médecin, elle n'eut pas de nausées.

A peine habillée, elle vit surgir Pat. La jeune fille était rayonnante ; la bague de fiançailles de Roger brillait à son annulaire.

— Bonjour ! Comment va notre future mère ?

Ces mots eurent le don de la faire éclater en sanglots.

Décontenancée, Pat s'étonna :

— Qu'ai-je encore dit ?

Carole la rassura précipitamment :

— Rien. C'est mon état qui me rend nerveuse.

Pat se mit à rire et s'assit sur le bord du lit où Carole s'était pelotonnée.

— J'ai l'impression de découvrir un champ de bataille ! Tu as retrouvé Nathan et c'est très bien, mais il y a quelque chose qui sonne faux...

Carole donna un coup de poing dans le traversin, pestant devant cet excès de perspicacité !

— Nous essayons de vivre en paix, rien de plus.

— Assurément, répliqua Pat, sans conviction.

Pour rien au monde, Carole ne tenait à lui raconter ce qui s'était passé avec Diane. Changeant de sujet, elle s'informa.

— Où en sont les réservations pour le concert de ton frère ?

— Les réservations ? Toutes les places sont retenues depuis longtemps. Dis-moi, Carole, tu vas assister au dernier concert, n'est-ce pas ?

Carole écarquilla les yeux.

— Pourquoi n'irais-je pas ?

— Nathan prétend que tu n'auras pas le temps.

Comment avait-il pu prendre un prétexte aussi stupide ? Blessée, Carole riposta, un peu aigrement.

— J'en déduis qu'il ne souhaite pas ma présence !

— Carole !

Furieuse, celle-ci venait de jeter les oreillers par terre.

— Qu'il aille au diable ! s'écria-t-elle.

— Carole, tais-toi ! J'ai encore dit une sottise et je suis navrée, mais...

Déjà, Carole s'était levée pour gagner la salle de bains. Elle claqua la porte derrière elle. Lorsque, prise de remords, elle revint dans sa chambre, Pat était repartie.

Quelle sotte tu fais ! gémit-elle. Pat a toujours pris ma défense. C'est une véritable amie et je viens de la blesser.

Hâtivement, elle troqua sa robe de chambre contre un jean et un pull-over. Jusqu'alors, Carole s'était gardée de troubler les répétitions de Nathan, mais Pat devait s'y trouver et elle décida d'aller la rejoindre.

En effet, lorsque Carole pénétra dans l'auditorium, elle aperçut sa belle-sœur qui discutait avec d'autres personnes. Effleurant son épaule, elle avoua :

— Pat, je suis désolée...

— Moi aussi ! s'écria la jeune fille en la prenant dans ses bras.

Toutes deux avaient les larmes aux yeux. Sur le podium, Nathan qui les avait aperçues saisit son micro et lança, mi-figue mi-raisin :

— Tout cela est parfaitement bouleversant, mais nous sommes ici pour travailler !

Deux petits nez se plissèrent et tout l'orchestre éclata de rire.

Un instant plus tard, Carole s'apprêtait à repartir, apaisée, lorsque Diane Vincent surgit.

— J'espère que vous êtes heureuse, maintenant, Carole, déclara-t-elle, une expression résignée sur le visage.

Carole releva le menton.

— Pourquoi ne le serais-je pas ?

Diane eut une moue éloquente.

— Vous lui avez coupé les ailes, Carole. J'imagine que ce projet de retraite sur l'île vient de vous, n'est-ce pas ?

Carole allait riposter lorsqu'elle se ravisa. Pourquoi fournir des explications ?

— Vous ruinez sa vie, Carole, reprit Diane en se plantant devant elle. Ne comprenez-vous pas que la musique est tout pour lui ?

Carole se fit ironique.

— De toute évidence, vous connaissez ses besoins mieux que personne, Diane !

Une lueur perfide dansa dans les prunelles de sa rivale.

— En effet, vous êtes trop lymphatique pour comprendre les aspirations d'un homme aussi dynamique que lui !

Si, d'elle-même, Carole s'était parfois adressé ce genre de reproche, elle n'eut pas l'intention, ce jour-là, de s'avouer vaincue.

— Il se trouve que les hommes comme Nathan courtisent souvent des femmes comme vous, Diane, mais ils ne les épousent pas !

Le visage de Diane se décomposa. Carole eut la satisfaction d'avoir marqué un point lorsqu'elle tourna les talons.

Les heures suivantes, elle courut les magasins de Seattle pour acheter la layette du bébé. Malheureusement, cette rencontre venait de tout gâcher. Lorsqu'elle regagna l'appartement, elle se réfugia dans sa chambre, poursuivie par la vision de Nathan et de Diane s'embrassant à la Baie de l'Ange, sur la plage... peut-être même en Australie, sous la croix du Sud. Et elle craignait de trouver confirmation de ses soupçons dans le livre que Diane comptait écrire.

Lorsque l'heure du dîner sonna, Carole n'avait aucun appétit. Au lieu de faire honneur au repas préparé par la gouvernante, elle s'habilla tout de suite pour le concert. Son moral demeura au plus bas jusqu'au moment où elle rejoignit Lucy, Kate et Pat devant l'entrée du Palace.

La foule était dense, mais Nathan réussit à se frayer un chemin jusqu'à elles, plus séduisant que jamais dans son costume de scène. Posant les mains sur les épaules de sa femme, il l'enveloppa d'un regard velouté.

— Merci d'être venue.

Carole releva la tête.

— Nathan, pourquoi aurais-je manqué cette soirée ?

Une lueur un peu nostalgique brilla dans les yeux de Nathan.

— Je pensais que tu étais peut-être pressée de regagner l'île.

Les paroles de Diane lui revinrent en mémoire ; mais Carole fit l'effort de rectifier d'une voix douce :

— Pas au point de rater une représentation aussi importante.

Il s'éclipsa et, aussitôt, l'enthousiasme s'empara des spectateurs. La salle s'anima. Ce dernier tour de chant n'allait pas manquer de soulever l'émotion de ses fans.

Peu après, sous le feu des projecteurs, Nathan s'avança sur la scène.

Les applaudissements éclatèrent tandis que sa voix chaude et sensuelle se mêlait à l'accompagnement de son orchestre. Exaltée, une femme cria :

— Nathan, ne nous quitte pas !

— Je reviendrai ! lança-t-il à la foule en délire.

Carole ressentit un pincement de jalousie. A chaque tour de chant, s'effectuait cet étrange échange d'amour entre Nathan et son public. Pour la première fois, la jeune femme eut l'impression que ces centaines d'adorateurs la rendaient responsable du départ de leur dieu !

— Peut-être aurait-il mieux valu que tu restes chez toi, chuchota Lucy, un peu anxieuse.

A la quatrième chanson, ce doute fut confirmé par une exclamation vengeresse qui s'éleva derrière elle. L'atmosphère devint de plus en plus houleuse. Carole fut subitement entourée d'une horde trépignante et aussi bourdonnante qu'un essaim de mouches.

Deux policiers assurant la sécurité s'approchèrent d'elle.

— Madame McKendrick, nous avons reçu l'ordre de vous ramener chez vous. Veuillez nous excuser.

La jeune femme se leva et, escortée par ses gardes du corps, parvint à gagner la sortie. Une terrible déception lui nouait la gorge. Mais

Nathan n'avait-il pas raison de vouloir la soustraire aux débordements de son public ?

De retour à l'appartement, elle se dévêtit rageusement. En peignoir de cachemire, elle brossa ses cheveux tout en imaginant la fin du spectacle. Vraisemblablement, Nathan assisterait à la réception qui allait suivre ce dernier concert, aux alentours de onze heures trente. Une onde de bonheur la traversa lorsqu'elle entendit la sonnerie du téléphone.

— Tu vas bien ? lança-t-il sans le moindre préambule.

— Oui... Dis-moi seulement où je peux te rejoindre, Nathan.

— Il n'en est pas question. Ne bouge pas. Je rentrerai dès que possible.

Avant qu'elle ait pu ajouter un mot, il avait raccroché.

Désenchantée, elle n'eut d'autre choix que d'obéir. Elle alluma son poste de télévision qui transmettait les adieux de Nathan McKendrick, entouré de ses amis, de son orchestre et de l'inévitable Diane Vincent. Mais dès qu'elle eut assisté au délire des admirateurs, elle éteignit l'appareil, se jeta sur son lit, enfouit son visage dans l'oreiller.

Il était trois heures du matin lorsqu'elle sentit la présence de Nathan à ses côtés. Dans un demi-sommeil, soudain il murmura :

— Non, Diane, pas ce soir...

Chapitre 20

Nathan s'éveilla le lendemain avec la certitude que les yeux verts et furibonds fixés sur lui l'observaient depuis un bon moment déjà ! Les souvenirs de la veille lui revinrent en mémoire. Impérativement, il devait expliquer à Carole la présence de Diane devant les caméras de télévision ! Elle s'était insidieusement glissée à ses côtés pendant l'interview. Prenant son courage à deux mains, Nathan se redressa.

— Chérie, écoute-moi.

S'emparant des poignets de sa femme, il ajouta.

— Diane ne m'a pas accompagné à la réception, elle s'est trouvée inopinément sur mon chemin, c'est tout.

Le ravissant visage de Carole devint de marbre. Acide, elle persifla.

— Je l'avais compris.

— Alors pourquoi cette hostilité ?

— Je n'ai aucune envie de discuter.

— Carole !

— Non ! Je ne veux rien entendre.

Jamais sa femme ne lui avait paru aussi désirable, mais le moment était mal choisi ! Il s'écarta d'elle à contrecœur.

— Explique-toi, Carole.

— Laisse-moi seule !

Brusquement alarmé, Nathan bondit sur ses pieds.

— Carole ! Par pitié !

— Tu m'as toujours menti ! affirma-t-elle en fondant en larmes.

Nathan demeura perplexe. L'émotion l'étreignait tandis qu'il pensait à l'enfant qu'elle portait et, doucement, il la prit dans ses bras.

— Allons, murmura-t-il, protecteur, quand ai-je menti ? Je t'en prie, Carole, dis-moi ce qui ne va pas.

Elle eut beau se débattre, il ne relâcha pas son étreinte.

— Je te déteste, Nathan. Dieu en est témoin...

— S'il te plaît, chérie, insista-t-il en fermant les yeux.

Carole le considéra un instant avant de reprendre d'une voix brisée :

— Comment peux-tu paraître aussi innocent... ?

Désemparé, Nathan la dévisagea avec inquiétude.

— Mais je le suis !

— Hypocrite ! Tu parles en dormant, Nathan !

Il soupira puis, s'asseyant à ses côtés, il reprit patiemment.

— Parfait. Alors, qu'ai-je dit ?

Il y eut un silence, puis la jeune femme finit par balbutier.

— Tu as dit : « Non, Diane, pas ce soir. »

Nathan eut alors la certitude de ne jamais pouvoir la convaincre de son innocence. Il n'avait jamais été l'amant de Diane et ces paroles n'avaient évidemment aucun sens.

— La vérité, Carole, c'est que tu cherches un prétexte pour me détester.

Puis, détournant la tête, il se leva pour gagner la salle de bains. En fait, il avait tout perdu... Carole, l'enfant... Lorsqu'il ouvrit le robinet de la douche, Nathan renversa la tête en arrière. Il pleurait.

Tout au long de la semaine, Carole se demanda où était sa place. Nathan était parti s'installer sur l'île et elle avait refusé de le suivre. Mais où aller ? Ici, à Seattle, elle n'avait aucune raison de s'éterniser maintenant que le feuilleton était achevé. Sa maison sur l'île ne lui appartenait plus depuis que le couple Johnson l'avait achetée...

Jour après jour, elle s'était persuadée que son amour pour Nathan était définitivement mort. Jamais, une telle impression de vide et d'abandon ne l'avait accablée à ce point. Pourquoi ses parents étaient-ils morts ? Pourquoi l'avaient-ils laissée derrière eux ? Les avait-elle trop aimés ?... Durant les premières années de son mariage, Carole avait craint qu'un excès d'amour ne lui fasse également perdre Nathan...

Brusquement, son désir de le rejoindre devint

plus fort que tout. S'emparant de son manteau et de son sac, elle quitta l'appartement sans un dernier regard, bien décidée à ne plus jamais se retourner sur son passé...

Carole débarqua sur l'île en plein milieu de la nuit. De tout temps, la villa de la Baie de l'Ange lui avait paru imposante, mais dans l'obscurité, elle lui sembla plus majestueuse encore, tout auréolée des mystères qui avaient fait la joie de son enfance. Plus tard, lorsque le célèbre Nathan McKendrick l'avait achetée, une armée d'ouvriers et de décorateurs l'avait restaurée. Cet été-là, au cours d'un pique-nique, Carole et Nathan s'étaient rencontrés. A l'entrée de l'hiver, ils étaient déjà mariés...

Les mains enfoncées dans les poches de son manteau, elle hésitait sur le seuil de la maison et allait lâchement tourner les talons lorsque le battant grinça. Nathan apparut dans l'encadrement de la porte. Allait-il la rejeter après tout ce silence ? Carole resta figée sur place.

— Eh bien ! Tu aurais pu frapper, tu sais ? lança-t-il d'une voix à la fois ironique et tendre.

Il la prit par le bras et Carole chercha désespérément quelque chose à dire.

— Ma chienne est-elle ici ?

Nathan eut un sourire amusé.

— Etes-vous vraiment à la recherche de votre animal favori, madame McKendrick ?

Carole ferma les yeux une seconde, puis les rouvrit.

— Si tu avais l'intention de me rendre les choses difficiles, c'est fait ! gémit-elle.

Il éclata de rire.

— Je suis désolé, dit-il gaiement en l'entraînant vers la cuisine.

Cinnamon bondit alors de dessous la table et Nathan ajouta, grandiloquent :

— Voici votre chienne, madame !

— Cet animal manque de scrupules !

— Non, elle sent tout bonnement que je l'aime.

Un instant plus tard, Carole se blottissait dans les bras de son mari.

— Je t'aime, murmura-t-il. Mais cette fois, tu dois faire un choix. Ou tu restes, ou tu m'envoies ton avocat.

— Mon avocat ? protesta-t-elle, interdite.

Nathan resserra son étreinte.

— Oui, mon amour, tu as bien entendu. Je n'ai plus la force de supporter ces séparations. Je te jure que je n'ai jamais eu aucune liaison avec Diane. C'est à toi de savoir ce que tu veux.

Carole fut à deux doigts de s'insurger devant tant d'autorité. D'une voix un peu tremblante, elle protesta :

— N'as-tu pas l'impression d'être un peu trop intransigeant ?

Nathan soupira et glissa sa main sous son manteau pour l'attirer plus près de lui.

— C'est bien possible, mais cesse de discuter, Carole ! Dois-je te ramener à Seattle ou t'accueillir dans mon antre ?

Le désir les faisait trembler et, en son for intérieur, Carole ne connaissait que trop la réponse.

— Parfait, reprit-elle, si tu n'y vois pas d'inconvénient, je reste...

Chapitre 21

Lucy et Carole se penchèrent sur la robe de mariée que Pat venait d'étaler sur le sofa. Après un coup d'œil affectueux, Carole lança, amusée.

— Trop de frous-frous.

— Pas assez ! grimaça Lucy.

Pat s'insurgea :

— Vous ne m'êtes d'aucune aide !

Alors, d'un commun accord, elles rassurèrent la jeune fille. Nulle toilette ne pouvait être plus ravissante que celle-ci. Le mariage devait avoir lieu en avril. Lorsque Pat eut rangé le voile de dentelle et la vaporeuse tenue virginale, Lucy se tourna vers son amie.

— Comment Nathan s'habitue-t-il à sa vie d'ermite ?

Carole hésita une seconde. Elle avait promis de garder le secret, mais elle n'y tint plus.

— Figure-toi qu'il est en train d'écrire la musique d'un film. Il est merveilleux !

Lucy eut une moue taquine.

— Comment pourrait-il être autrement ! Et toi, Carole, où en es-tu ?

— Eh bien ! Je vais remplacer un professeur malade et pouvoir enfin enseigner.

— Quel âge auront tes futurs élèves ?

— Dix, douze ans! Des amours! s'exclama Carole, enthousiaste.

Toutes trois bavardèrent ainsi à bâtons rompus. Puis Pat prit congé, pressée de regagner Seattle pour retrouver son fiancé. Lucy s'en alla peu après et Carole demeura allongée sur la terrasse inondée de soleil. Le printemps était particulièrement doux. La mer avait la couleur de l'émeraude et Carole passa doucement la main sur son ventre arrondi.

— Puis-je partager tes rêves? lança soudain Nathan en surgissant derrière elle.

Carole ne l'avait pas entendu arriver; aussi, pour toute réponse, l'enveloppa-t-elle d'un tendre regard.

— Es-tu heureuse? demanda-t-il en effleurant ses lèvres d'un baiser léger.

— Comme jamais, murmura-t-elle.

— Mais cela n'a pas toujours été le cas, n'est-ce pas...?

Elle hésita.

— En effet... Vois-tu, cet hiver en regardant tomber la neige sur les vagues, il m'a semblé que notre amour était comme ces flocons blancs disparaissant dans l'eau salée... J'ai craint qu'il ne fonde et qu'il n'en reste rien.

Nathan parut bouleversé.

— Des flocons de neige sur la mer... répéta-t-il. Malgré les aléas de la vie, notre amour restera comme l'océan... Eternel!

Il s'agenouilla près d'elle et, plongeant son regard dans le sien, il ajouta.

— Je t'aime.

Une immense émotion submergea Carole ; elle se nicha dans les bras de son mari.

— Crois-tu que Pat sera aussi heureuse que nous ? chuchota-t-elle.

— Je l'espère.

Il se redressa et, sachant combien les deux jeunes femmes étaient unies, il reprit.

— Sais-tu ce que je dirai au pasteur lorsque je conduirai Pat à l'autel et qu'il me demandera : qui donne cette femme en mariage ?

Carole releva des sourcils étonnés.

— Je suppose que, puisque tu remplaces votre père, tu répondras : c'est moi.

Nathan eut un sourire attendri.

— Non... je dirai : c'est nous, rectifia-t-il.

— Mon cher amour, dit-elle, les larmes aux yeux.

Les semaines passèrent si vite que, lorsque au mois d'août Carole mit leur enfant au monde, Nathan sembla pris de court... Penché sur la toute petite fille que Carole tenait entre ses bras, il la contemplait, émerveillé.

— Alors, demanda la jeune femme, quel est le verdict ?

Nathan sourit :

— Le bébé McKendrick est la future reine de beauté des Etats-Unis.

L'accouchement s'était avéré difficile et le docteur leur avait avoué la vérité : ils ne pourraient plus espérer d'autre enfant.

Aussi, tout en enveloppant sa petite famille d'un regard ému et fier, Nathan ne put s'empêcher de lancer à sa femme un coup d'œil inquiet. Saurait-elle se contenter de leur bonheur présent ? A cet instant, comme si elle devinait ses pensées, une expression douloureuse se peignit brusquement sur son visage et son menton trembla légèrement.

— Tu te rends compte, Nathan... balbutia-t-elle. Plus jamais d'autres bébés...

Il se pencha vers elle et, plein d'amour, l'apaisa :

— Admire plutôt Nancy. N'est-elle pas ce qu'il y a de plus beau au monde ?

Un sourire flotta sur les lèvres de Carole. Une lueur mutine traversa ses yeux verts. Elle précisa :

— Comme toi et moi !

Nathan l'embrassa longuement et, lorsqu'il se redressa, confirma, tout à fait convaincu.

— Comme toi et moi, évidemment.

Six mois plus tard, par une pluvieuse soirée de février, une foule en délire trépignait de nouveau dans l'immense auditorium du Palace de Seattle.

Installée dans une loge, tout près des tables d'écoute où se tenaient les ingénieurs du son, Carole se redressa doucement pour observer la salle. Dans son porte-bébé de toile, Nancy se balançait doucement.

Une lueur d'amour et d'orgueil brilla dans les yeux de la jeune femme. En quelque sorte, les fans de Nathan McKendrick lui devaient ce retour triomphal. Durant ces derniers mois, il avait répété sans interruption à la Baie de l'Ange.

A cet instant, les lumières baissèrent et les projecteurs auréolèrent l'idole tant attendue! Nathan portait une chemise rouge et un pantalon blanc. Les bras ouverts, il remercia ses admirateurs. Une marée de trépignements et de hurlements déferla sur la salle, puis un silence presque religieux retomba lorsque les premières paroles de la chanson d'amour s'élevèrent... Carole savait que Nathan l'avait composée pour elle.

Il est à moi... songea-t-elle et, comme Nancy tendait un doigt innocent vers la scène, elle souffla à l'oreille du bébé.

— Mais oui... c'est papa, tu vois!

A leur gauche, un ingénieur du son remarqua à l'adresse de Carole.

— Encore une chanson comme celle-ci et le public va se mettre à genoux!

Carole eut envie de rire mais ne répondit rien. De toute façon, avec ses écouteurs sur les oreilles, le technicien n'aurait pu entendre la réponse!

Visiblement, Nathan semblait aussi heureux que ses adorateurs et il le prouva en leur donnant le meilleur de lui-même. Son spectacle fut merveilleux.

A la fin du concert, Pat et Roger surgirent dans la loge.

Le jeune couple devait ramener Nancy à l'appartement pour veiller sur elle tandis que Carole retrouverait son mari à la réception donnée en son honneur. Par mesure de sécurité, la jeune femme avait promis à Nathan de ne pas bouger de la loge avant que les gardes du corps ne l'accompagnent jusqu'à la sortie. Aussi Pat et Roger emportèrent-ils discrètement le bébé à moitié endormi.

Enfin, les deux hommes vinrent pour l'escorter et Carole les suivit, impatiente. Vêtue d'un ravissant ensemble de soie bleu pâle, elle eut l'impression de voler plutôt que de marcher ! Son âme chantait tandis qu'elle se dirigeait vers son mari.

Noyé dans une foule de journalistes, de musiciens et aussi de resquilleurs qui se pressaient autour de lui, Nathan l'aperçut de loin... Il leva la main puis écarta son entourage pour la rejoindre plus vite.

Carole sourit. De toute façon, rien ni personne ne pourrait jamais plus les séparer...

Harmonie n° 50

PAMELA WALLACE

Une île comme un rêve

Amour ou ambition ?

Oui, Connor Winfield est prêt à tout pour venger l'honneur de son père. Il veut acquérir la compagnie aérienne dont Sandra Tyson vient d'hériter et il y parviendra !

Tout aussi fidèle à sa famille, Sandra relève le défi. Et c'est une lutte acharnée qui oppose les deux adversaires.

Jusqu'où iront-ils ? Quelles ruses, quels traquenards vont-ils inventer avant de découvrir la véritable nature des sentiments impétueux qui les animent ?

BARBARA FAITH

Tous les parfums du Mexique

Un amour de légende

Lorsque, à l'aéroport de Mexico,
le célèbre peintre Carlos Quintana
se trouve face à la jeune Américaine
Joanna Morrow, il ne peut cacher
sa déception.

– Vous êtes une femme !
– Je suis une artiste !
– Je ne voulais que des hommes
dans mon équipe. La réalisation
d'une fresque murale est un travail
très dur, surtout dans la chaleur du Yucatán.

Nullement intimidée, Joanna est bien décidée
à imposer sa présence et son talent.

Mais une autre épreuve l'attend, au long
des nuits mexicaines.
Une épreuve qui va bouleverser
sa vie à tout jamais.

Harmonie n° 52

EVE GLADSTONE

Un matin bleu

Au jeu de la vérité

C'est dans l'atmosphère survoltée d'une campagne électorale que la belle Annie Sparrow retrouve l'intransigeant Peter Chambers. Il a son candidat. Elle a le sien...

La barrière qui les sépare semble infranchissable. Le tourbillon des intérêts en jeu déchaîne une sombre tempête.

Pourtant, malgré le bruit et la fureur, une petite voix se fait entendre. Elle parle d'amour, de bonheur, de matins bleus.
Annie et Peter sauront-ils l'écouter?

Achevé d'imprimer sur les presses de l'Imprimerie Bussière
à Saint-Amand-Montrond (Cher)
le 25 janvier 1985. ISBN : 2-277-83049-6
N° 2892. Dépôt légal janvier 1985. Imprimé en France

Collections Duo
27, rue Cassette 75006 Paris
diffusion France et étranger : Flammarion